D1110207

Le
Livre
de
Poche
Jeunesse

Oliver Twist

Charles Dickens

Charles Dickens (1812-1870) est marqué à jamais par la pauvreté soudaine de ses années d'enfance. Cet immense écrivain et journaliste est un acerbe critique de son époque et de la société anglaise sous la révolution industrielle.

Du même auteur :

- David Copperfield
- Le drôle de Noël de Scrooge

Charles Dickens

Oliver Twist

Traduit de l'anglais et abrégé
par Michel Laporte

1

Traite des circonstances qui entourèrent la naissance d'Oliver Twist et d'événements marquants de son enfance

Parmi les divers établissements publics d'une ville dont, pour diverses raisons, je préfère taire le nom et à laquelle je ne donnerai pas un nom fictif, il en est un que possèdent bien d'autres localités petites ou grandes : le dépôt de mendicité. C'est là que naquit le petit spécimen humain dont le nom figure en tête du présent chapitre.

Longtemps après qu'il fut introduit dans ce monde de douleur par le docteur municipal, on pensa qu'il ne vivrait pas assez longtemps pour porter un nom. Dans ce cas, ce livre n'aurait peut-être jamais paru, ou alors, en se limitant deux ou trois pages, il aurait eu le mérite d'être la biographie la plus vraie et la plus concise dans la littérature de tous les temps et de tous les pays.

Même si je n'ai pas l'intention de soutenir que c'est une chance extraordinaire de naître dans un dépôt de mendicité, je dois pourtant dire que, vu les circonstances, c'était la meilleure chose qu'il pouvait arriver à Oliver Twist. Le fait est qu'on éprouva beaucoup de difficultés pour le décider à se mettre à respirer, ce qui constitue un exercice fatigant, certes, mais nécessaire. Pendant un certain temps, il resta étendu sur un matelas de laine grossière, comme posé en équilibre instable entre ce monde et le prochain, la balance penchant fortement pour ce dernier. Si, pendant ce court moment, Oliver avait été entouré de grands-mères et de tantes angoissées, de nourrices qualifiées et de médecins, il aurait été perdu en un clin d'œil.

Comme il n'y avait là personne d'autre qu'une vieille pauvresse, qui n'y voyait pas clair parce qu'elle avait trop bu de bière, et un docteur mal payé, Oliver et dame Nature réglèrent la question en tête à tête.

Le résultat fut qu'au bout d'un moment, Oliver éternua, respira et annonça à ses compagnons du dépôt de mendicité qu'un nouveau fardeau venait d'échoir à la charge de la paroisse en poussant un cri étonnamment puissant.

À ce moment, la couverture rapiécée qu'on avait jetée sur le lit de fer s'agita doucement. La figure blême d'une jeune femme se souleva sur l'oreiller et demanda d'une voix faible :

— Laissez-moi voir l'enfant avant de mourir !

— Oh ! il ne faut pas parler de mourir, répondit le docteur, pas déjà.

— Pour sûr que non ! Dieu la bénisse, le cher cœur ! ajouta la garde-malade en remettant une bouteille verte dans sa poche. Pensez plutôt à ce que c'est d'être mère, ma petite dame ! Y a un petit agneau aussi !

Cette perspective de bonheur maternel ne produisit

pas les effets escomptés. La malade secoua la tête et tendit les mains vers son enfant. Le chirurgien le lui mit dans les bras. Elle appliqua ses lèvres froides sur le front de son petit puis elle promena autour d'elle un regard hagard, frissonna, retomba en arrière sur l'oreiller et mourut.

Ils lui frictionnèrent la poitrine, les mains et les tempes mais le sang s'était arrêté de circuler pour toujours.

— Tout est terminé, madame Machin, dit finalement le docteur.

— La pauvre chérie ! dit la garde en ramassant le bouchon en liège de la bouteille verte qui était tombé sur l'oreiller alors qu'elle se baissait pour reprendre l'enfant. Pauvre agneau, aussi !

— Il est probable qu'il sera agité, dit le docteur en enfilant ses gants. Donnez-lui un peu de gruau s'il crie.

Il mit son chapeau et, marquant un arrêt près du lit alors qu'il se dirigeait vers la porte, il ajouta :

— C'était une jolie femme. D'où venait-elle ?

— On l'a ramenée hier soir. Couchée dans la rue, qu'elle était. Et sûr qu'elle avait marché car ses chaussures étaient toutes usées. Mais savoir d'où qu'elle venait et où ce qu'elle allait, ça on sait pas !

Le docteur lui souleva la main droite.

— La vieille histoire, dit-il. Elle n'a pas d'alliance, je vois. Bonsoir !

Le docteur alla dîner, et la garde, après s'être adressée une nouvelle fois à sa bouteille, se mit en devoir de vêtir l'enfant.

Enveloppé dans la couverture qui, jusqu'alors, avait constitué son seul vêtement, Oliver pouvait encore passer pour le fils d'un grand seigneur comme d'un mendiant. Mais aussitôt qu'il fut enveloppé de la vieille robe de calicot qui avait jauni à force de remplir cet usage, il fut étiqueté instantanément : enfant assisté par la charité publique, orphelin de l'hospice promis aux mauvais traitements, aux rebuffades, aux gifles, au mépris de tout le monde, à la pitié de personne.

Oliver criait. S'il avait pu savoir qu'il était orphelin, abandonné à la tendre compassion des bedeaux, des surveillants et autres bonnes âmes, peut-être aurait-il crié encore plus fort.

Pendant les huit à dix mois qui suivirent, Oliver fut élevé au biberon. L'état précaire du pauvre orphelin fut signalé par les autorités du dépôt aux autorités de la paroisse. Les autorités de la paroisse demandèrent aux autorités du dépôt s'il n'y aurait pas un élément féminin qui pourrait procurer à Oliver la nourriture dont il avait besoin. Les autorités du dépôt répondirent humblement qu'il n'y en avait pas. C'est pourquoi, les autorités de la paroisse décidèrent qu'on l'enverrait dans une succursale du dépôt, où vingt à trente autres petits contrevenants à la loi sur les pauvres passaient la journée à se traîner par terre, sans devoir craindre de trop manger ni d'être trop vêtus, sous la surveillance maternelle d'une vieille femme qui recevait chez elle ces petits coupables, moyennant sept pence et demi par petite tête et par semaine.

Sept pence et demi de nourriture par semaine, cela représente beaucoup de choses à manger pour un enfant, assez, en tout cas, pour lui charger l'estomac et le rendre malade. Mais la vieille femme était pleine d'expérience et de sagesse ; elle savait ce qui est bon pour les enfants ; elle savait encore mieux ce qui l'était pour elle. Si bien qu'elle réservait l'essentiel de l'allocation à son usage personnel en réduisant les jeunes assistés à une portion encore plus chiche que celle qui leur était allouée au dépôt de mendicité.

On ne peut pas escompter qu'un tel système d'élevage puisse donner des produits particulièrement florissants. Pour son neuvième anniversaire, Oliver Twist se trouva être un enfant pâle, plutôt court de stature et fort réduit en circonférence. Mais la nature ou l'hérédité avait placé un esprit vif et solide dans le corps d'Oliver. Grâce au régime frugal de l'établissement, il avait eu tout l'espace nécessaire pour s'y développer à son aise et, peut-être, Oliver lui devait-il d'avoir pu atteindre son neuvième anniversaire.

Toujours est-il qu'il avait neuf ans. Il célébrait cet anniversaire au fond de la cave à charbon dans la compagnie choisie de deux autres jeunes messieurs qui, après avoir pris part avec lui à une raclée retentissante, avaient été enfermés pour s'être permis d'affirmer qu'ils avaient faim.

C'est alors que Mme Mann, la bonne âme de la maison, fut frappée par l'apparition imprévue du bedeau, M. Bumble, qui passait le portillon du jardin.

— Bonté divine, c'est vous ? s'écria Mme Mann en passant la tête par la fenêtre avec une expression d'extase bien simulée. – Susanne, fais vite remonter les mômes de la cave et lave-les tout de suite.

— Sur ma vie ! Que je suis contente de vous voir, monsieur Bumble !

M. Bumble était un gros homme. Il avait marché, il avait chaud, il était d'humeur exécrable. Cet accueil chaleureux le détendit un peu.

— C'est ce que nous verrons, madame Mann, répondit-il. Je suis venu ici pour affaires et parce que j'ai quelque chose à vous dire.

Mme Mann fit entrer le bedeau dans un petit salon au sol carrelé, lui avança un siège et posa sa canne et son tricorne sur la table.

— Vous fâchez pas de ce que je vais vous proposer, commença Mme Mann avec suavité. Vous avez fait un long chemin sinon j'en parlerais pas. Accepteriez-vous de prendre une goutte de quelque chose ?

— Pas une goutte ! répondit M. Bumble en secouant la main dans un geste plein de dignité.

— Mais si, juste une petiote goutte ! répliqua Mme Mann

M. Bumble toussota.

— C'est quoi ? demanda-t-il.

— C'est-à-dire que j'en ai pour faire des canards à ces petits anges quand ils vont pas bien, répondit Mme Mann en ouvrant un placard d'angle où elle prit une bouteille et un verre. C'est du gin.

— Vous faites des canards pour les enfants, madame Mann ?

— Bien sûr qu'oui ! quand bien même si ça me coûte cher ! Je ne pourrais pas les voir souffrir sous mes yeux, vous savez, monsieur !

— Non vous ne le pourriez pôs, renchérit M. Bumble. Vous êtes une femme humaine, madame Mann. Je – je bois à votre santé !

Et il vida son verre à moitié.

— Et maintenant, aux affaires ! dit-il. L'enfant qu'on a baptisé sous le nom d'Oliver Twist a désormais neuf ans...

— Dieu le bénisse ! l'interrompit Mme Mann.

— Nonobstant la récompense promise de dix livres sterling qui s'est trouvée portée postérieurement à vingt livres, nonobstant les efforts les plus superlatifs de la pôroisse, il a été impossible de découvrir qui est son père ni même quels étaient le nom et la situation de sa mère.

— Comme ça se fait, alors, qu'il a un nom, ce petiot ?

Le bedeau se redressa, plein de fierté et dit :

— Je l'ai inventé !

— Vous ? monsieur Bumble !

— Moi-même. Nous donnons des noms à nos recrues en suivant l'ordre alphabétique. Le précédent, c'était S : je l'ai appelé Swubble. Lui devait avoir un T, je l'ai baptisé Twist. Le prochain a été Unwin et le suivant Vilkings. J'ai des noms prêts pour tout l'alphabet, de A à Z.

— Vous êtes réellement un homme de lettres, monsieur Bumble.

Le bedeau, ravi du compliment, finit son gin à l'eau puis :

— Oliver est désormais trop vieux pour demeurer ici ; aussi le bureau a-t-il décidé de le réintégrer à la... maison. Je suis venu en personne pour l'y reconduire. Je vous prie de me l'amener.

— Je vais le chercher, dit Mme Mann en quittant la pièce.

Entre-temps, Oliver s'était vu débarrasser de la couche superficielle de la saleté qui lui encrassait les mains et le visage. Il fut introduit au salon par sa bienveillante protectrice.

— Oliver, voudriez-vous venir avec moi ? demanda le bedeau.

Oliver eut envie de répondre qu'il était prêt à aller

n'importe où, avec n'importe qui. Mais il vit Mme Mann, derrière le siège du bedeau, qui lui montrait le poing d'un air furieux. Il comprit tout de suite.

— Est-ce qu'elle, elle vient avec moi ? demanda-t-il.

— Hélas, non, répondit le bedeau. Mais elle viendra te voir.

C'était une piètre consolation pour l'enfant. Il eut cependant assez de jugeote pour montrer qu'il avait du chagrin à s'en aller. Mme Mann lui donna mille baisers et, ce qu'il apprécia plus, du pain beurré, pour qu'il ne semble pas à demi mort de faim en arrivant au dépôt.

Sa tranche de pain dans une main et sa casquette d'orphelin paroissial sur la tête, Oliver fut emmené par M. Bumble hors de cette misérable maison où, jamais, un mot aimable ni un regard attentionné n'était venu égayer la tristesse de ses années d'enfance. Et pourtant, quand la porte se ferma derrière lui, il fut assailli par une terrible bouffée de chagrin. Pour la première fois, son âme d'enfant fut submergée par la sensation qu'il était seul face au vaste monde.

M. Bumble marcha à grands pas ; le petit Oliver, solidement cramponné à sa manche, trotta à côté de lui jusqu'à ce qu'ils se retrouvent entre les murs du dépôt de mendicité. M. Bumble le confia à la garde d'une vieille femme puis, peu après, revint le chercher : le bureau paroissial voulait qu'il se présente devant lui immédiatement. Il le mena donc dans une pièce aux murs peints en blanc où une dizaine de messieurs bien nourris étaient installés autour d'une table.

— Salue le bureau, dit Bumble.

Oliver essuya deux ou trois larmes qui traînaient

encore dans ses yeux et, ne voyant pas de bureau mais seulement une table, se décida à saluer la table bien bas.

— Quel est ton nom, mon garçon ? demanda un monsieur très gros assis dans un fauteuil plus haut que les autres.

Oliver était effaré de voir autant de beaux messieurs qui l'intimidaient terriblement. Le bedeau lui donna un solide coup de canne par derrière qui lui fit pousser un cri. Pour ces deux raisons, il fit une réponse à voix basse et en hésitant beaucoup, ce qui amena un monsieur en gilet blanc à dire qu'il était débile. C'était un très bon moyen de l'aider à se reprendre et à se sentir à l'aise.

— Mon garçon, dit le monsieur assis dans le fauteuil haut, je suppose que tu sais que tu es orphelin ?

— C'est quoi, monsieur ? demanda le malheureux Oliver.

— Tu sais que tu n'as ni père ni mère, et que tu es élevé aux frais de la paroisse, n'est-ce pas ?

— Oui monsieur, dit Oliver en pleurant amèrement.

— Pourquoi pleures-tu ? demanda le monsieur en gilet blanc.

Et, de fait, c'était bien étonnant : pourquoi diable cet enfant pouvait-il donc pleurer ?

Le monsieur assis dans le fauteuil plus haut poursuivit :

— Tu es venu ici pour y être éduqué et apprendre un métier utile.

— Aussi tu commenceras à faire de l'étoupe demain matin à six heures, ajouta le monsieur en gilet blanc.

Oliver salua bien bas. Puis on l'emmena dans une grande salle où, sur un lit bien dur et inconfortable, il sanglota jusqu'à ce qu'il finisse par s'endormir. Belle preuve de la douceur des lois anglaises : elles autorisent les pauvres à dormir !

Pauvre Oliver. Il ne savait pas que le bureau venait de prendre ce jour-là une décision qui devait exercer sur sa destinée une influence capitale. Tel était pourtant le cas. Et voici quelle était la décision.

Les membres de ce bureau d'administration avaient porté leur attention sur le dépôt de mendicité et ils s'étaient tout de suite aperçus d'une chose : les pauvres s'y plaisaient. C'était pour les miséreux une espèce de taverne où petit-déjeuner, déjeuner, dîner, et souper leur étaient servis gratis tout au long de l'année. Un petit paradis de brique et de mortier où l'on n'avait qu'à se distraire sans travailler.

— Oh ! oh ! avaient dit ces messieurs du bureau, il faut que cela change sur-le-champ !

Ils avaient donc édicté cette règle que tous les pauvres auraient le choix (car ils ne voulaient forcer personne) entre mourir de faim petit à petit s'ils restaient au dépôt, ou tout d'un coup, s'ils en partaient.

À cet effet, ils conclurent un marché avec la compagnie des eaux pour en avoir des quantités illimitées et avec un marchand de grains pour qu'il fournisse de temps à autre d'infimes quantités de gruau d'avoine ; ils décidèrent ensuite qu'on servirait trois légères rations de gruau clair par jour, un oignon deux fois par semaine et la moitié d'un petit pain, le dimanche.

Pendant les six mois qui suivirent le transfert d'Oliver Twist, ce système fut appliqué avec une parfaite rigueur. Au début, il fut un peu coûteux à cause de la facture de l'entreprise des pompes funèbres, qui augmenta considérablement, et parce qu'il fallut rétrécir tous les vêtements qui flottaient sur les corps amaigris des pensionnaires. Cependant, le nombre des assistés vivant au dépôt ne tarda pas à beaucoup diminuer, ce qui plongea le bureau dans le ravissement.

L'endroit où mangeaient les enfants était une grande salle pavée au bout de laquelle se trouvait un fourneau d'où le chef du dépôt, orné d'un tablier, et aidé de deux pauvresses, tirait le gruau aux heures des repas. Chaque enfant en recevait plein un petit bol et rien de plus. Ils nettoyaient leur bol avec leur cuillère, ce qui ne prenait jamais longtemps vu que les cuillères étaient presque aussi grandes que les bols, puis ils restaient assis à fixer le fourneau avec des yeux si avides qu'ils semblaient prêts à dévorer les briques dont il était bâti. En même temps, ils se suçaient les doigts avec énormément de soin afin de récupérer le moindre éclat de gruau qui aurait pu tomber dessus.

En général, les jeunes garçons ont bon appétit. Oliver et ses camarades souffrirent longtemps les tourments d'une lente famine. La faim finit par les travailler tellement que l'un d'eux, grand pour son âge, laissa entendre à ses compagnons que, s'il n'avait pas une portion de plus chaque jour, il craignait de manger le gamin qui dormait à côté de lui. Il avait l'air si affamé et si sauvage que les autres le crurent sans peine. On tira au sort pour décider qui, le soir même, irait réclamer une portion supplémentaire ; le hasard désigna Oliver Twist.

Le soir venu, les enfants prirent leurs places. Le chef se posta devant le fourneau ; ses assitantes se rangèrent derrière lui ; on servit le gruau ; on récita le benedicite ; le gruau disparut. Les garçons se parlaient à l'oreille, faisaient des signes à Oliver, le poussaient du coude. Malgré son jeune âge, la faim l'avait exaspéré et l'excès de la misère le rendait insouciant du risque. Il se leva de table, avança vers le chef et, son bol et sa cuillère à la main, il dit, quand même un peu inquiet de son audace :

— S'il vous plaît, monsieur, j'en veux d'autre !

Le chef était un homme replet et prospère ; il devint néanmoins tout pâle. Pendant quelques secondes il fixa le jeune rebelle, hébété de surprise ; il dut même s'appuyer au fourneau, pour se soutenir. Les assistantes étaient paralysées d'étonnement, les garçons, de peur.

— Comment ! dit enfin le chef d'une voix étouffée.

— S'il vous plaît, monsieur, j'en veux d'autre !

Le chef du dépôt donna à Oliver un coup de louche sur la tête, le saisit à bras le corps et se mit à hurler pour appeler le bedeau.

Le bureau siégeait quand M. Bumble, au comble de l'excitation, fit irruption dans la salle de réunion et, s'adressant au président, le gros monsieur assis dans le fauteuil haut, annonça :

— Monsieur ! Je vous demande pardon, Oliver Twist en a demandé d'autre !

Ce fut un sursaut général. L'horreur se peignit sur tous les visages.

— Demandé d'autre ? dit le président. Reprenez-vous, Bumble, et répondez clairement ! Dois-je comprendre qu'Oliver Twist en a demandé d'autre après avoir mangé le dîner réglementaire ?

— C'est ce qu'il a fait, monsieur, répondit Bumble.

— Cet enfant-là finira pendu ! dit le monsieur en gilet blanc.

Personne ne vint contredire cette opinion prophétique. Une discussion très vive suivit. Oliver fut mis au cachot aussitôt et, le lendemain matin, un avis fut cloué sur la porte annonçant que la paroisse offrait cinq livres sterling à quiconque voudrait bien la débarrasser d'Oliver Twist. En d'autres termes, on offrait cette somme et Oliver Twist à tout homme ou à toute femme qui aurait besoin d'un apprenti pour n'importe quel commerce, besogne ou métier.

2

Après une chaude alerte, Oliver trouve une place d'apprenti et fait son entrée dans la vie active

Après avoir commis la faute quasi-sacrilège de demander d'autre gruau, Oliver passa toute une semaine seul dans la pièce sombre où l'avait consigné le bureau. Il y pleurait tout le jour et, la nuit venue, accroupi dans un coin de sa cellule, il essayait de dormir en se serrant très fort contre le mur et en mettant ses petites mains devant les yeux pour ne plus voir l'obscurité qui l'entourait.

Que les opposants aux lois sur les pauvres n'aillent pourtant pas supposer que, pendant le temps que dura son incarcération solitaire, Oliver fut privé du réconfort de la religion. Il le reçut tous les soirs, en écoutant les prières que récitaient ses petits camarades et dans lesquelles le bureau avait inclus une partie où ils demandaient au Ciel de les rendre bons, obéissants et contents de leur sort tout en les préservant des péchés et des vices d'Oliver.

Un matin, alors qu'il était toujours dans cette même situation apparemment sans issue, un certain Gamfield, ramoneur de son état, descendit la Grand-Rue en songeant au moyen qu'il pourrait trouver pour payer son arriéré de loyer. N'importe comment qu'il s'y prenne, il ne parvenait pas à faire le total dont il avait besoin d'urgence.

— Ho – o ! cria-t-il brusquement à son âne en voyant qu'une affiche était apposée sur la porte du dépôt de mendicité.

En lisant le document, M. Gamfield se mit à sourire car la somme correspondait à ses besoins. Quant à l'enfant, comme il connaissait le régime alimentaire de l'établissement, il savait qu'il serait d'un modèle tout à fait réduit, parfait pour les cheminées. Aussi relut-il l'affiche syllabe par syllabe du premier au dernier mot puis il sonna et, en portant la main à son bonnet de fourrure en signe de déférence, il demanda au gardien quand il ouvrit :

— Ce gars que la paroisse veut mettre en prentissage, commença-t-il.

— Eh bien ? ce garçon ? demanda le gardien.

— Si la paroisse souhaiterait qu'il apprend un bon métier agréable sous la turtelle d'un bon ramoneur, poursuivit Gamfield, j'en ai besoin d'un prenti, moi, et je suis d'accord pour le prendre !

Le gardien le mena aussitôt à la salle de réunion du bureau.

— C'est un métier déplaisant, dit le président du bureau au ramoneur quand il eut réaffirmé son désir de prendre un apprenti.

— C'est à cause qu'ils allument de la paille hurmide

dans les tuyaux pour les faire descendre, dit Gamfield, et alors ça fume mais ça crame pas. Et ça sert à rien que ça fume pasque la fumée ça les fait endormir, les garçons, même que c'est pile poil ça qu'ils aiment. Pasque les garçons, y sont ostinés et feignants, messieurs, et ya rien de mieux qu'une flambée pour les faire descendre, même qu'alors y se grouillent ! Et ça, c'est vraiment hurmain pasque quand qu'y sont coincés dans les tuyaux, alors le feu ça leur crame les arpions et ça les fait se secouer le train pour descendre en vitesse !

Ces explications semblèrent bien amuser le monsieur en gilet blanc.

Puis le bureau fit sortir Gamfield, le temps qu'on délibère. Quand on le fit rentrer, le président déclara :

— Le bureau a étudié votre proposition et a décidé de la rejeter.

Comme Gamfield traînait derrière lui la réputation d'avoir déjà battu à mort trois ou quatre garçons, il pensa que c'était à ce détail peu significatif qu'il devait le refus du bureau. Cela l'étonna car ce n'était pas la façon dont, d'habitude, ces messieurs traitaient leurs affaires. Il préféra pourtant ne pas trop insister et se contenta de demander :

— Alors, vous voulez pas me le donner ?

— Non ! répliqua le gros président. Du moins, comme c'est un métier dur, nous pensons de notre devoir de diminuer la prime.

La physionomie de Gamfield s'éclaira.

— Combien que vous donnerez, messieurs ? En soyant pas trop durs avec un travailleur qu'est méritant !

— Nous pensons que trois livres et dix shillings suffisent, poursuivit le président.

— C'est même dix shillings de trop, poursuivit l'homme en gilet blanc.

— Là, vous me prenez à la gorge, messieurs, dit Gamfield en tortillant son bonnet avec un air désespéré.

— Taratata ! dit le monsieur en gilet blanc. Même sans la prime, ce serait une bonne affaire. Ce garçon ne coûte quasi-rien à nourrir vu que, depuis qu'il est né, il a appris à vivre de peu.

L'affaire était faite. M. Bumble fut informé de ce qu'il aurait, l'après-midi même, à conduire Oliver Twist et son futur employeur devant le juge de paix pour qu'il enregistre le contrat d'apprentissage.

En conséquence de quoi, Oliver eut la surprise de se voir tirer de sa geôle et de recevoir, des mains mêmes du bedeau, un bol de gruau et de la ration de pain des jours de fête.

— Tiens, mange ! Et tu pourras remercier le bureau qui a décidé de faire de toi un arpenti, lui dit M. Bumble d'un ton pompeux.

— Un arpenti, monsieur ? dit l'enfant en tremblant.

— Oui Oliver, ces bons messieurs ont décidé de faire de toi un homme quand bien même la dépense pour la pôroisse se monte à trois livres et demie. Tu te rends compte, Oliver ? Pour un chenapan d'orphelin comme toi qui ne les vaut pôs !

Tandis que M. Bumble faisait une pause pour reprendre son souffle, les larmes roulaient sur le visage d'Oliver. Satisfait de voir les effets de son éloquence, M. Bumble reprit, d'une voix radoucie :

— Allons, finis ton déjeuner, que je t'emmène chez le juge de paix.

Chemin faisant, le bedeau lui expliqua ce qu'il aurait

à faire. Il suffirait qu'il réponde : « Oui, énormément ! » quand on lui demanderait s'il avait envie de devenir apprenti. Quelques coups de canne lui annoncèrent du reste ce qui l'attendait s'il n'appliquait pas la consigne.

Au tribunal, le bedeau le mena dans la salle d'audience, une pièce de vastes dimensions, avec un haut bureau derrière lequel se tenaient deux vieux messieurs coiffés d'une perruque poudrée.

En entrant, M. Bumble s'adressa à Oliver à voix basse :

— Rappelle-toi ce que je t'ai dit, petit vaurien.

Puis il le poussa jusque devant les messieurs à perruques. Le gros président du bureau se tenait devant le bureau, d'un côté, et Gamfield, qui s'était sommairement débarbouillé le visage, de l'autre.

— Voilà le garçon, Votre Honneur, dit M. Bumble.

Et à l'adresse d'Oliver :

— Salue les magistrats, mon enfant !

Oliver fit de son mieux pour saluer.

— Je suppose, dit l'un des deux vieux monsieurs qui avait des lunettes en écaille de tortue, qu'il aime bien le métier de ramoneur.

— Il en raffole, Votre Honneur, dit M. Bumble tout en pinçant Oliver pour lui rappeler qu'il avait intérêt à ne pas dire le contraire.

— Et c'est cet homme qui doit être son maître ? poursuivit le vieux juge en se tournant vers Gamfield. Vous allez bien le traiter, bien le nourrir et faire tout ce qui est nécessaire pour son bien, n'est-ce pas ?

— Si je le dis c'est que je vais le faire, grogna Gamfield.

C'était un moment crucial dans la vie d'Oliver. Le juge

repoussa ses lunettes vers la base de son nez et se mit à chercher l'encrier pour y tremper la plume qui signerait le contrat d'apprentissage. S'il l'avait trouvé tout de suite, Oliver aurait été aussitôt emmené par Gamfield. Mais le juge ne le trouva pas. Il se pencha pour essayer de l'apercevoir et découvrit la figure pâle et bouleversée d'Oliver qui, malgré les pinçons du bedeau, contemplait son futur maître avec un dégoût et une peur qui ne purent pas échapper au magistrat, fût-il à demi aveugle.

— Mon garçon, dit-il à Oliver, tu sembles épouvanté. Qu'as-tu ?

Oliver sursauta. Le ton sur lequel on lui parlait était amical, ce dont il n'avait pas l'habitude.

— Bedeau, éloignez-vous de lui, dit le second magistrat en se penchant en avant, l'air intéressé. Maintenant, mon garçon, dis-nous ce que tu as, ajouta-t-il. N'aie pas peur !

Oliver se jeta à genoux et les supplia de l'enfermer de nouveau dans le noir, de le faire mourir de faim, de le battre, de le tuer, même, mais de ne pas le laisser partir avec cet homme abominable.

— Eh bien ! Oliver, dit le bedeau prêt à s'étouffer, de tous les hyrpocrites pôtentés que j'ai connus, tu es bien le plus sans scurpules !

— Tenez votre langue, bedeau ! dit le second juge.

— Pardon, dit M. Bumble, Votre Honneur s'adresse à moi ?

— Oui. Taisez-vous !

M. Bumble en fut comme pétrifié. À un bedeau, lui demander de se taire ! C'était une révolution morale !

— Nous refusons de signer le contrat, dit le juge à

lunettes d'écaille tandis que l'autre l'approuvait chaleureusement de la tête.

Ce même soir, le monsieur en gilet blanc affirma que non seulement Oliver serait pendu comme il l'avait prédit mais qu'il serait noyé et coupé en morceaux par-dessus le marché.

Et le lendemain, le public fut une fois encore informé par voie d'affiche qu'Oliver Twist était de nouveau à céder et que cinq livres seraient payées à qui voudrait bien se charger de lui.

Quelques jours passèrent jusqu'à ce qu'un matin M. Bumble, qui rentrait, rencontre à la porte du dépôt M. Sowerberry, l'entrepreneur de pompes funèbres de la paroisse, qui en sortait.

C'était un homme grand et osseux, avec des articulations massives, habillé d'un costume noir usé jusqu'à la corde. Ses traits n'étaient pas conçus pour se montrer souriants mais sa mine laissait présager une plaisanterie quand il serra la main du bedeau avec cordialité.

— J'ai pris les mesures des deux femmes qui sont mortes hier soir, monsieur Bumble, dit le croque-mort.

— Vous ferez fortune, monsieur Sowerberry, dit le bedeau en tapant amicalement sur l'épaule de son interlocuteur avec sa canne.

— Vous croyez ? dit l'autre sur un ton partagé entre approbation et doute. Les prix que me paie la paroisse sont tout petits, M. Bumble !

— Vos cercueils aussi ! répliqua le bedeau en émettant ce qui ressemblait le plus possible au rire que peut s'autoriser un officiel.

La répartie amusa beaucoup M. Sowerberry qui en rit longtemps.

— Au fait, demanda le bedeau à brûle-pourpoint dès que le croque-mort eut repris son sérieux, vous ne connaissez personne qui ait besoin d'un aide. Avec des conditions très intéressantes, monsieur Sowerberry !

Tout en parlant, M. Bumble donna un petit coup de canne sur la mention « CINQ LIVRES » qui pouvait s'y lire en très grosses lettres.

— Par exemple ! s'exclama le croque-mort, c'est précisément de ça que je voulais vous causer, monsieur Bumble. Vous savez, je paie déjà pas mal de taxes pour les pauvres...

— Oui ? Et ?

— J'étais en train de me dire que si je payais autant pour les pauvres, je pouvais attendre un peu d'eux, en retour. Si bien que du coup – eh bien ! je pense que je vais prendre le garçon moi-même.

Le bedeau saisit M. Sowerberry par le bras et l'entraîna dans le bâtiment. Le croque-mort resta enfermé avec le bureau pendant cinq minutes, le temps de décider que le garçon irait chez lui le jour même.

Oliver reçut la nouvelle de sa destination en silence et, son bagage à la main – il n'était pas difficile à transporter puisqu'il tenait dans un petit paquet enveloppé de papier kraft deux fois grand comme le poing –, il s'accrocha une nouvelle fois à la manche du bedeau et fut emmené par ce dignitaire vers les lieux de ses prochaines souffrances.

M. Bumble marchait la tête très droite, ainsi qu'il se doit pour un bedeau et, comme il faisait beaucoup de vent, Oliver se trouvait complètement enfoui dans les pans du manteau qui voltigeaient tout autour de l'officiel paroissial. En arrivant presque à destination, toutefois, M. Bumble crut bon de devoir jeter un coup d'œil vers le garçon pour vérifier qu'il était présentable.

— Oliver, dit le bedeau.

— Oui monsieur, répondit Oliver d'une voix éteinte.

— Ôtez cette casquette et tenez la tête droite, monsieur !

Oliver obéit tout de suite. Mais il eut beau faire un effort, il se mit à pleurer au point que les larmes inondèrent son visage maigre.

— Eh bien ! s'écria M. Bumble avec colère. De tous les enfants les plus ingrats, tu es bien le...

— Oh non ! monsieur, sanglota Oliver, je vous en prie, ne soyez pas fâché contre moi ! Je suis un tout petit garçon et je suis si... si...

— Si quoi ? demanda M. Bumble avec stupéfaction.

— Si seul ! monsieur ! Si seul !

L'enfant se frappa la poitrine et leva sur le bedeau un regard noyé par des larmes de souffrance.

M. Bumble considéra un moment le garçon avec une expression de surprise, puis il toussota, maugréa « cette maudite toux ! » , demanda à Oliver de sécher ses yeux et d'être un bon garçon. Puis le reprenant par la main, il se remit en marche avec lui en silence.

Le croque-mort, qui venait juste de baisser les rideaux de sa boutique, était en train de mettre à jour son livre de comptes à la lueur d'une bougie quand le bedeau fit son entrée.

— Me voici, dit le bedeau. Et je vous amène le garçon.

Oliver salua.

— C'est lui, n'est-ce pas ? dit le croque-mort en soulevant la chandelle pour mieux voir Oliver. Madame

Sowerberry, voudrais-tu avoir la bonté de venir ici un instant, ma chère !

Mme Sowerberry émergea d'un réduit derrière la boutique. C'était une personne petite, mince, tassée, avec une allure de mégère.

— Ma chère amie, dit le croque-mort sur un ton plein de déférence, c'est le garçon du dépôt de mendicité dont je t'ai parlé.

Oliver salua de nouveau.

— Dieu du Ciel, dit la femme du croque-mort, qu'il est petit !

— C'est-à-dire... dit M. Bumble. C'est vrai qu'il est petit. Mais il grandira, madame Sowerberry ! Il grandira !

— Ça c'est sûr, répliqua la dame d'un ton grincheux, il grandira ! À nos frais, avec ce que nous lui donnerons à manger. Moi, je ne vois pas ce qu'on peut gagner avec des orphelins. Ils coûtent toujours plus cher que ce qu'ils rapportent ! Mais les hommes croivent toujours tout savoir. Allez viens par là, petit tas d'os. Descends !

Ce disant, la femme du croque-mort poussa Oliver dans un escalier très raide qui menait à une cave sombre et humide qu'on avait baptisée cuisine. Là se trouvait une fille malpropre avec des chaussures sans talons et des bas bleus sales et pleins de trous.

— Hé ! Charlotte ! dit Mme Sowerberry à cette dernière, donne à ce petit les restes qu'on avait gardés pour Trip. Puisqu'il n'est pas rentré, il peut s'en passer. J'ose croire que tu vas pas faire le dégoûté, petit !

Oliver, dont les yeux s'étaient allumés quand il avait compris qu'il était question de viande et qui tremblait d'envie d'en manger répondit par la négative. Une assiette de restes grossiers fut posée devant lui. Il se jeta sur ces morceaux délicats dont même le chien n'avait pas voulu et les dévora avec une prodigieuse avidité.

— Hé bien ! dit la femme du croque-mort quand Oliver eut fini ce dîner auquel elle avait assisté en s'épouvantant par avance de l'appétit futur de l'enfant, c'est fait ?

Comme il n'y avait plus rien de mangeable à proximité, Oliver répondit que oui.

— Alors suis-moi, dit-elle en se mettant en devoir de regrimper l'escalier. Ton lit est sous le comptoir. J'espère que ça te dérangera pas de dormir à côté des cercueils. D'ailleurs, que ça te dérange ou pas, c'est pareil, parce qu'il y a pas d'autre endroit. Allez viens ! Tu ne vas pas me tenir debout toute la nuit !

Oliver ne traîna pas et suivit sa nouvelle maîtresse.

3

Oliver fait de brillants débuts dans sa nouvelle profession puis surprend singulièrement son monde

Abandonné à lui-même dans la boutique du croque-mort, Oliver posa sa lampe et regarda autour de lui avec un sentiment de peur et de malaise que même des gens plus âgés sont en mesure de comprendre. Un cercueil inachevé était posé sur des tréteaux noirs au milieu du magasin ; il était si triste d'aspect que l'enfant frissonnait chaque fois que ses regards se portaient du côté de cet objet lugubre. Il s'attendait presque à y voir une forme effrayante soulever doucement sa tête pour le faire mourir de frayeur. Le long de la muraille était rangée une longue série de planches d'orme, toutes de la même forme : dans la pénombre, elles semblaient autant de spectres aux larges épaules avec les mains dans les poches de leur pantalon. La boutique était close et tiède. L'atmosphère semblait chargée de l'odeur des cercueils. Le réduit sous le comptoir lui-même, où était placée une paillasse à l'intention d'Oliver, avait des allures de tombeau.

Le lendemain matin, Oliver fut éveillé par le bruit d'un grand coup de pied appliqué dans la porte de la boutique, coup de pied qui, avant qu'il ait eu le temps d'enfiler ses vêtements, fut répété environ vingt-cinq fois. Quand il commença à défaire les chaînes de la porte, les jambes se turent pour faire place à une voix.

— Ouvre cett' porte, tu veux !

— Tout de suite, monsieur, dit Oliver en faisant tourner la clef.

— Je suppose que t'es le nouvel arpète, c'est ça ? demanda la voix par le trou de la serrure.

— Oui, monsieur.

— Alors t'auras une baffe quand je serai dedans, dit la voix.

Puis la voix ne dit plus rien. Tout le temps qu'il tira les verrous Oliver n'entendit plus qu'un sifflotis. Il ouvrit la porte, regarda dans la rue et, pendant une seconde ou deux, il eut l'impression que celui qui venait de s'adresser à lui était parti. En effet, il eut beau regarder à droite et à gauche, il ne vit rien qu'un gros garçon qui mangeait une tartine de beurre, assis sur un poteau devant la maison.

— Excusez-moi, lui demanda Oliver qui, décidément n'apercevait personne d'autre, est-ce vous qui avez frappé ?

— Avec le pied, oui, dit le gros garçon.

— Vous voulez acheter un cercueil ? demanda Oliver innocemment.

Le gros garçon lui lança un regard féroce et lui dit

qu'il allait en prendre une s'il continuait de faire le mariole avec ses supérieurs.

— Tu sais pas qui chuis, ch' suppose ?

— Non, monsieur, approuva Oliver.

— Chuis monsieur Noé Claypole et chuis ton supérieur hérarchique ! Enlève vite les volets, espèce de feignasse !

Là-dessus, il gifla Oliver et entra dans la boutique avec toute la dignité que peut avoir un gros lourdaud affublé d'une grosse tête, de tout petits yeux, d'un nez rouge et d'un pantalon court jaune canari.

M. Sowerberry descendit un peu plus tard et envoya les deux garçons à la cuisine, pour le petit-déjeuner.

— Toi, le nouveau, dit Charlotte en les voyant paraître, voilà ton thé. Pose-toi sur la caisse, là, pour le boire. Mais fait vinaigre pasqu'ils t'attendent pour garder la boutique !

— T'as entendu, minus, grouille-toi ! Sinon !

— Bon Dieu, Noé, pourquoi que tu le laisses pas tranquille ?

— Le laisser tranquille ? Ben tout le monde le laisse tranquille, surtout son père et sa mère qui lui fichent une paix royale !

— Ce que t'es vachard, Noé ! s'exclama Charlotte avant de partir d'un grand éclat de rire que Noé s'empressa d'imiter.

Noé Claypole était un enfant assisté mais pas un orphelin du dépôt. Il n'était pas un fruit du hasard puisqu'il pouvait faire remonter son ascendance jusqu'à ses parents, sa mère qui était blanchisseuse et son père, un soldat retraité doublé d'un ivrogne patenté qui avait une jambe de bois et deux pence et demi de pension par jour.

Les apprentis des boutiques voisines avaient l'habitude de traiter Noé de « caritatif » ou « d'œuvres pieuses ». Il avait toujours encaissé sans broncher. Mais à présent que le sort avait mis sur son chemin un orphelin sans aucune défense, il était décidé à se dédommager sur lui, et avec usure.

Au terme d'un mois d'essai, Oliver devint officiellement apprenti. À cette occasion, M. Sowerberry, alors qu'il dînait avec Mme Sowerberry dans la petite pièce de derrière, commença :

— Ma chère...

Le regard hargneux de Mme Sowerberry le coupa net. Il y eut un silence. Puis :

— Quoi ? demanda-t-elle sèchement.

— Rien ! dit-il.

— C'est ça ! Ne me dis pas ce que tu voulais dire ! Espèce de brute ! Garde tes secrets pour toi !

Elle eut un rire hystérique qui terrorisa M. Sowerberry.

— Mais non ! ânonna-t-il. J'ai cru... Je voulais te demander ton avis.

— À moi ? Penses-tu ! Je ne t'écoute même pas, dit Mme Sowerberry qui brûlait néanmoins d'entendre la suite.

— C'est à propos d'Oliver. Il a sur le visage une expression de tristesse très intéressante. J'ai envie d'en faire un « muet ».

Mme Sowerberry lui lança un regard plein de surprise qui le poussa à poursuivre sans qu'elle ait le temps d'exprimer le fond de sa pensée.

— Pas un muet pour accompagner les convois de grandes personnes. Non ! Un muet spécialisé dans ceux d'enfants. Ce serait une grande nouveauté d'avoir un muet de l'âge de notre clientèle infantile. L'effet serait des plus réussis.

Mme Sowerberry avait beaucoup de goût dans le sens où la profession de croque-mort entend ce mot. Elle trouva qu'en effet l'idée était nouvelle. Mais le reconnaître aurait compromis sa dignité. Aussi se contenta-t-elle de demander comment il se faisait qu'il ne l'aie pas eue plus tôt, ce qu'il considéra comme un accord de sa part.

La saison qui suivit fut agréablement insalubre et, selon la formule commerciale consacrée, le cercueil donna. Si bien que le succès de l'idée de M. Sowerberry dépassa ses espérances. Les habitants les plus âgés ne se rappelaient pas, en effet, une période où la rougeole ait été aussi fréquente et aussi fatale aux existences juvéniles. Nombreux furent donc les cortèges à la tête desquels marcha le jeune Oliver, avec un crêpe qui lui descendait jusqu'aux genoux, et en suscitant l'admiration de toutes les mères de la ville.

Noé Claypole fut vite jaloux de voir que le petit nouveau paradait avec un chapeau décoré d'un crêpe et un bâton noir tandis que lui, l'ancien, restait à la boutique, entre cercueil et linceuls. Du coup, les mauvais traitements qu'il infligeait à Oliver ne cessaient d'empirer. Charlotte le maltraitait aussi, pour imiter Noé, et Mme Sowerberry était son ennemie parce que son mari le traitait amicalement.

Pendant plusieurs mois, pourtant, Oliver supporta tout.

Mais un jour, les deux garçons étaient descendus à la cuisine pour banqueter d'un os de mouton quand Charlotte dut s'absenter. Pour passer le temps, Noé ne trouva rien de mieux que de tourmenter son jeune collègue. Il posa les pieds sur la table, lui tira les cheveux, lui tordit l'oreille, affirma qu'il était un petit cafard et qu'il viendrait le voir se faire pendre n'importe où que cet agréable événement ait lieu. Il essaya tout pour le faire pleurer mais en vain. Alors, décidé à parvenir à son but malgré tout, il demanda finement :

— Eh, Le Dépôt ! comment qu'elle va ta mère ?

— Elle est morte, dit Oliver. Ne m'en parle pas, je te prie.

Oliver rougit en disant cela. Voyant que sa bouche et ses narines se contractaient, Noé crut qu'il s'agissait d'un signe précurseur d'une crise de larmes. Il revint à la charge.

— Et de quoi qu'elle est morte, ta mère ?

— D'un cœur brisé, à ce qu'on m'a dit. Je crois que je sais ce que ça signifie, de mourir de ça.

— Re-voici les fontaines ! Qu'est-ce qui te fait chialer à présent ?

— Pas toi, en tout cas ! répliqua Oliver. Et puis ça suffit ! Ne me parle plus de ma mère !

— Ah non ? Fais pas ton malin ! Ta mère, c'était un sacré numéro !

Et il retroussa autant qu'il le pouvait son tout petit nez.

— Tu vois, continua-t-il sur un ton de fausse compassion, vaut mieux que tu saches que ta mère, c'était une sacrée coureuse.

— Qu'est-ce que tu as dit ?

— Que c'était une coureuse ! Vaut mieux qu'elle soit morte quand elle est morte, sinon elle aurait fini en prison ou même pendue !

Rouge de fureur, Oliver saisit Noé à la gorge et le secoua avec toute l'énergie de sa rage. Puis, rassemblant toutes ses forces pour lui donner un seul coup, il l'allongea par terre.

— Charlotte ! Madame ! hurla Noé. Le petit nouveau est en train de me tuer ! Au secours ! Oliver est devenu fou ! Char... lotte !

Aux appels de Noé répondit un cri de Charlotte et un autre de Mme Sowerberry, la première se précipitant dans la cuisine depuis la cave voisine tandis que la seconde arrivait par l'escalier.

— Espèce de scélérat ! s'écria Charlotte en saisissant Oliver de toutes ses forces qui étaient celles d'un homme moyen. Petit ingrat, voyou !

Elle ponctuait chacune des syllabes qu'elle prononçait d'un coup de poing appliqué avec tout son cœur. Craignant que ce poing, qui n'était pourtant pas léger, ne suffise pas à calmer Oliver, Mme Sowerberry vint lui porter assistance en empoignant le garçon d'une main et en lui labourant le visage de l'autre. Dans cette situation désormais plus favorable, Noé se releva et le bourra de coups par derrière.

Cet exercice était toutefois trop violent pour durer longtemps. Quand ils furent fatigués et qu'ils ne purent plus ni taper ni griffer, ils traînèrent Oliver dans la cave et ils l'y enfermèrent à clef alors qu'il continuait de crier et de se débattre sans se résigner. Ceci fait, Mme Sowerberry s'effondra sur une chaise.

— Oh ! Charlotte ! dit-elle en sanglotant, quelle chance nous avons eue de ne pas être tous assassinés dans notre lit !

— Que oui, on a de la chance, ma'am ! Ça apprendra à monsieur à plus prendre ces créatures nées pour être des assassins dès le berceau. Pauvre Noé ! Il était mort quand je suis revenue dans la cuisine !

Noé, dont le bouton supérieur du gilet se situait au niveau du sommet du crâne d'Oliver, s'essuyait les yeux pendant qu'on déversait toute cette compassion sur lui et persistait à sangloter de son mieux.

— Qu'allons-nous faire ? gémit Mme Sowerberry. Votre maître est sorti et, d'ici moins de dix minutes, il aura enfoncé la porte !

Les violents coups de pied d'Oliver qui ébranlaient la porte de la cave rendaient cette hypothèse hautement vraisemblable.

— Je sais pas, ma'am ! dit Charlotte. Si qu'on faisait venir la police ?

— Non, dit Mme Sowerberry. Allez plutôt trouver M. Bumble, Noé, et dites-lui de venir ici sans perdre un instant.

Noé Claypole courut le plus vite qu'il le put jusqu'à la porte du dépôt de mendicité.

— Monsieur Bumble ! Monsieur Bumble ! se mit-il à crier dès qu'on lui ouvrit et ce d'une voix si forte et si pitoyable que non seulement le bedeau l'entendit mais, même, qu'elle parvint à l'inquiéter.

Il arriva au pas de course.

— Monsieur Bumble ! gémit Noé dès qu'il le vit, c'est Oliver qui...

— Il s'est sauvé ? dit le bedeau. Ne me dis pas qu'il s'est sauvé !

— Non pas, m'sieur. Mais il s'est mis à être méchant. Il a voulu m'assassiner ! Et puis il a essayé d'assassiner

Charlotte aussi, et puis madame. J'ai eu mal, m'sieur ! Et quelle trouille j'ai eue, aussi !

Et comme le bedeau demeurait sans réaction, il insista :

— S'il vous plaît, madame voudrait que vous veniez pour le calmer. Mais faut faire vite, sinon, il va les égorger toutes les deux !

— Et M. Sowerberry ?

— Il l'aurait bien assassiné lui aussi mais il est absent de la maison !

— Dans ce cas, dit M. Bumble en rajustant son tricorne que sa précipitation avait légèrement fait glisser sur le côté, je t'accompagne.

Quand le bedeau et Noé arrivèrent à la boutique du croque-mort, la situation ne s'était pas améliorée. M. Sowerberry n'était pas rentré et les coups qu'Oliver assenait à la porte étaient toujours aussi résolus. Les récits de son comportement féroce que firent Charlotte et Mme Sowerberry étaient tellement inquiétants que M. Bumble jugea préférable de parlementer par le trou de la serrure.

— Oliver ? Est-ce que tu reconnais ma voix ?

— Oui, répondit Oliver.

— Et tu n'as pas peur quand je te parle ?

— Non, répondit hardiment Oliver.

Cette réponse si différente de celle qu'il attendait ne stupéfia pas qu'un peu le bedeau. Il s'écarta du trou de la serrure, se redressa de toute sa dignité et regarda les autres avec un air de grande perplexité.

— Il faut qu'il soit devenu fou, dit Mme Sowerberry.

— Ce n'est pas de la folie, chère madame, dit

M. Bumble avec toute la pompe dont il était capable. C'est la viande !

— La viande ?

— Oui, ma bonne dame ! Vous l'avez trop bien nourri. Vous avez en quelque sorte insoufflé en lui une personnalité artificielle. Si vous l'aviez laissé au gruau, vous n'auriez pôs eu ces ennuis !

— Dieu du Ciel, gémit Mme Sowerberry en levant les yeux vers le plafond de la cuisine, voilà où ça mène d'être trop bonne !

Quand la dame ramena son regard sur la terre, le bedeau poursuivit.

— La seule chose à faire, c'est le garder dans la cave le temps qu'il ait faim à nouveau, et alors, vous pourrez le relâcher. Gardez-le ensuite au gruau tout le temps de son apprentissage !

M. Sowerberry entra sur ces entrefaites. Lorsqu'on lui eut expliqué la faute d'Oliver avec toute l'exagération imaginable, il ouvrit la porte de la cave et en extirpa Oliver en le tenant par le collet.

Dans la bagarre, les vêtements du garçon s'étaient déchirés, il avait du sang sur le visage et les cheveux en bataille. Mais sa colère n'était pas tombée et il lança à Noé un regard qui mêlait la haine et le mépris.

— Et maintenant, tu vas être gentil, lui dit M. Sowerberry en lui donnant une tape sur l'oreille.

— Il a insulté ma mère !

— Quand bien même il l'a fait, espèce de petit ingrat ! dit Mme Sowerberry. Il n'en a pas dit assez, elle méritait pire.

— Non ! dit l'enfant. Vous mentez !

Madame Sowerberry fondit en larmes.

Ces larmes ne laissèrent plus le choix au mari. S'il avait encore hésité à punir Oliver sévèrement, il est clair qu'il aurait été une brute, un mari dénaturé, une imitation d'homme. Pour être juste avec lui, il faut dire qu'il était bien disposé envers le garçon. Mais les larmes ne lui laissaient pas d'alternative. Il administra à Oliver une raclée telle que Mme Sowerberry elle-même s'en montra satisfaite

Après quoi il fut enfermé dans l'arrière-cuisine, au pain sec et à l'eau tout le reste de la journée. Le soir venu, on lui permit de remonter pour gagner son lit.

Tour le jour, habité par une fierté nouvelle, Oliver avait retenu ses larmes et n'avait pas crié quand on s'était acharné sur lui. Mais quand il fut seul dans le petit réduit sous le comptoir, sans personne qui puisse le voir, il se laissa aller et pleura toutes les larmes de son corps.

Ensuite, il demeura un long moment prostré sur sa paillasse. La chandelle était devenue minuscule. Alors il se leva, tira les verrous, ouvrit la porte et regarda dehors. C'était une nuit froide et sombre, les étoiles semblaient plus loin de la Terre que jamais. Il referma, profita de ce qu'il restait de chandelle pour rassembler ses maigres affaires, s'assit sur un banc, attendit qu'un rayon de lumière passe entre les fentes du volet. Puis il ouvrit de nouveau la porte. Un regard timide à l'extérieur, un moment d'hésitation et il était dehors, dans la rue.

4

Oliver se rend à Londres et fait la rencontre de fort intéressants personnages

Oliver regarda à droite, à gauche, ne sachant pas trop de quel côté partir. Puis il se souvint des chariots qui, pour quitter la ville, grimpaient la colline. Il les imita. Il suivit un chemin et atteignit la grand-route. Il était huit heures.

Bien qu'il fût déjà à huit kilomètres de la ville, Oliver courut tout en se cachant de temps à autre car il craignait d'être poursuivi. Enfin, vers midi, il s'assit au pied d'une borne et, pour la première fois, pensa à l'endroit qu'il allait choisir pour y aller et gagner sa vie.

La borne indiquait qu'il y avait tout juste cent dix kilomètres entre elle et Londres. Londres, cet endroit immense où personne – pas même M. Bumble – ne pourrait le retrouver ! C'était l'endroit idéal !

Il se remit sur ses pieds et reprit sa route.

Tout en marchant, il songea aux moyens dont il disposait pour se rendre là-bas. Dans son balluchon, il avait un croûton de pain, une chemise et deux paires de chaussettes. Il disposait aussi d'une pièce d'un penny que lui avait donné M. Sowerberry. C'était peu pour faire cent cinq kilomètres en hiver mais il n'y pouvait rien !

Ce jour-là, il parcourut trente kilomètres sans rien prendre que son croûton de pain sec et de l'eau qu'il demanda à la porte des maisons. À la nuit, il entra dans un champ et se blottit dans une meule de foin pour y attendre le jour. Le matin, quand il s'éveilla, il était engourdi par le froid. Et il avait tellement faim qu'il fut obligé d'échanger son penny contre un pain dans le premier village qu'il traversa.

Quand la nuit tomba, il n'avait fait que vingt kilomètres ; ses pieds lui faisaient mal et ses jambes étaient si faibles qu'elles tremblaient sous lui. Au matin de sa seconde nuit passée dehors dans l'humidité et le froid, il se sentait encore si mal qu'il pouvait à peine se traîner.

Sans le bon cœur d'un gardien d'octroi et d'une vieille, les souffrances d'Oliver auraient été abrégées de la même façon que l'avaient été celles de sa mère : il serait tombé mort sur la grand-route royale. Mais le gardien d'octroi lui donna du pain et du fromage et la vieille dame lui donna le peu qu'elle avait mais avec tellement de gentillesse que les souffrances d'Oliver s'en trouvèrent allégées.

Tant et si bien que, très tôt le matin du septième jour après son départ, Oliver fit son entrée en boitillant dans la petite ville de Barnet. Les boutiques étaient fermées, les rues désertes. Le soleil se levait mais sa lumière ne servait guère qu'à lui faire mieux sentir combien il était seul et abandonné, assis là sur les marches d'un perron, tout couvert de poussière et les pieds en sang.

Petit à petit la ville s'éveilla. Il fut tiré de sa rêverie en remarquant qu'un jeune garçon, qui était déjà passé devant lui, était revenu sur ses pas pour l'observer avec attention depuis l'autre côté de la rue. Oliver leva la tête et se mit à le regarder à son tour. Le garçon traversa la rue.

— Salut, mon pote, lança-t-il à Oliver, qu'est-ce qui t'arrive ?

Il avait à peu près le même âge que lui mais c'était le garçon à l'allure la plus singulière qu'Oliver ait jamais vu. C'était un enfant au nez retroussé, au front bas, au visage banal qui était aussi sale que possible. En même temps, il avait les manières d'un homme fait. Petit pour son âge, il avait les jambes arquées et de vilains petits yeux mobiles. Il portait une veste d'homme qui lui arrivait aux talons et dont il avait retroussé les manches pour dégager ses mains, ceci afin de pouvoir les laisser en permanence dans les poches de son pantalon en velours côtelé. Moyennant quoi, il était aussi fier et droit dans ses bottines qu'un gaillard d'un mètre quatre-vingt-cinq.

— Alors, mon pote, ya quèqu' chose qui gaze pas ? demanda cet étrange jeune gentleman à Oliver.

— J'ai faim et je suis fatigué, monsieur, répondit Oliver à qui les larmes montaient aux yeux. Voilà sept jours que je marche.

— Sept jours ! Ah ! je pige : t'as la rousse aux trousses ! Mais, ajouta-t-il en voyant l'air ahuri d'Oliver, tu sais pas ce que c'est, la rousse. N'est-ce pas mon nouveau copain ?

Oliver répondit qu'en effet, il ignorait tout de la dame en question.

— Quel bleu tu fais ! s'exclama le jeune gentleman. La rousse, c'est comme ça qu'on appelle la flicaille. T'as déjà fait de la taule ?

— On a bien voulu me faire faire de l'étoupe, à un moment. Mais ce que vous dites, non jamais !

— Bon ! je vois qu'il va falloir que je t'affranchisse. On aura le temps après. Pour le moment t'as les crocs et moi aussi. Il me reste deux ou trois thunes. On va les bouffer. Allez, bouge-toi le train !

Le jeune gentleman aida Oliver à se mettre sur ses pieds puis l'entraîna dans une boutique où il acheta un peu de jambon et un pain de deux livres. Après quoi, toujours suivi d'Oliver, il pénétra dans un petit café où il alla s'asseoir à une table. Un pot de bière fut apporté sur son ordre et Oliver put faire son repas le plus copieux depuis bien longtemps. Quand il eut la bouche vide :

— Alors tu vas à Londres ? lui demanda son compagnon.

— Oui.

— T'as où loger ?

— Non.

— De l'argent ?

— Non.

L'étrange garçon siffla puis remit les mains dans ses poches.

— Tu vis à Londres, toi ? demanda Oliver.

— Oui, quand je suis chez moi. J'imagine que t'as besoin d'un endroit pour passer la nuit, pas vrai ?

— J'aimerais bien ! Je n'ai pas dormi sous un toit depuis...

— Te fais pas de mouron pour ça ! Je dois être à Londres ce soir, et j'y connais un respectable vieillard qui te logera gratos pour peu que t'y sois présenté par quelqu'un qu'il connaît.

Cette offre d'un logement pour la nuit était trop intéressante pour être refusée, surtout qu'elle fut assortie de cette promesse que le vieillard en question pourrait sûrement lui procurer un emploi.

Cela déboucha sur une conversation plus intime qui permit à Oliver d'apprendre que son nouvel ami se nommait Jack Dawkins et qu'il était le protégé du vieux monsieur mentionné ci-dessus. Certes, l'allure du garçon ne plaidait guère en faveur du parrainage du respectable vieillard en question. En prime Jack Dawkins ne tarda pas à préciser que ses proches l'appelaient plutôt Le Filou que par son nom. Oliver en conclut que les préceptes moraux du bon vieillard n'avaient pas eu d'effet sur lui parce qu'il était d'un naturel incorrigible et se promit de se montrer mieux digne que lui de ses bontés.

Jack Dawkins ne voulut pas entrer en ville avant la nuit. Il était presque onze heures lorsqu'ils franchirent l'octroi d'Islington. Depuis *L'Auberge de l'Ange* ils traversèrent jusqu'à St. John's Road, descendirent la petite rue qui mène au théâtre Sadler's Wells en coupant par Exmouth Street et Coppice Row, puis, après avoir longé le dépôt de mendicité, ils s'engagèrent dans un quartier si sale et si misérable qu'Oliver, qui n'était pourtant pas habitué au luxe, n'avait jamais imaginé qu'il pouvait en exister de semblable.

La rue qu'il descendait sur les talons du Filou était sale et étroite, l'air était chargé d'odeurs infectes. Il y avait nombre de boutiques, mais la seule marchandise en stock semblait être des nuées d'enfants qui, malgré l'heure tardive, entraient, sortaient, et braillaient de leur mieux. Les seuls endroits prospères au sein de ce désastre général, c'étaient les cafés où l'on se querellait avec une étonnante énergie.

Oliver était en train de se demander s'il ne ferait pas mieux de s'enfuir quand ils parvinrent au bas de la colline. Son guide le fit entrer dans un couloir, referma derrière lui et siffla.

— C'est quoi ? demanda une voix.

— Plummy et slam ! fut la réponse.

Ce devait être une sorte de mot de passe car la flamme d'une bougie apparut à l'autre extrémité du couloir, bientôt imitée par une tête.

— C'est qui, l'autre ? dit l'homme en levant sa bougie.

— Un nouveau ! répliqua Jack en poussant Oliver devant lui.

— D'où qu'il vient ?

— De gogoland ! Fagin est là-haut ?

— Ouais ! il trie les tire-jus. Montez !

La lumière disparut et la tête avec elle.

Entraîné par son compagnon Oliver parvint tant bien que mal à gravir dans l'obscurité les marches d'un escalier en ruine. Son guide ouvrit la porte d'une pièce donnant sur l'arrière de la maison, y introduisit Oliver.

Les murs et le plafond étaient parfaitement noirs de crasse et de vieillesse. Il y avait une table de bois blanc et, dessus, une chandelle plantée dans une bouteille, trois pots en étain, du pain, du beurre, une assiette. Dans une poêle posée sur le feu, et dont la queue était attachée avec une ficelle au manteau de la cheminée, des saucisses cuisaient. Penchées sur elles, une longue fourchette à la main, se tenait un vieillard fripé et ridé dont les traits repoussants de vieux scélérat disparaissaient sous une masse de poils et de cheveux roux emmêlés.

Il était vêtu d'une robe de chambre graisseuse et semblait partager son attention entre la poêle et un séchoir où étaient étendus un grand nombre de mouchoirs de soie.

Plusieurs lits grossiers faits de sacs de pommes de terre étaient alignés côte à côte sur le plancher. Autour de la table, il y avait quatre ou cinq gamins pas plus âgés que Le Filou qui fumaient des pipes en terre et buvaient de l'eau-de-vie avec des façons d'adultes.

— C'est lui, Fagin, dit Le Filou. Mon ami Oliver Twist.

Le vieil homme fit un grand salut à Oliver, vint lui serrer la main.

— Nous sommes vraiment enchantés de te voir, Oliver, dit-il. J'espère avoir l'honneur de devenir un de tes amis proches.

Sur quoi, les jeunes gens avec les pipes se mirent à secouer très énergiquement les mains d'Oliver jusqu'à ce que le vieillard les interrompe dans leurs civilités par une distribution de coups de fourchette sur la tête et les épaules.

— Le Filou ! dit-il, sers donc les saucisses et tire un baquet près du feu pour notre ami. Ah ! je vois que tu regardes les mouchoirs, hein ! mon petit. On vient juste de les trier et les voilà prêts pour la lessive. Y en a pas mal, hein ?

Les protégés du joyeux vieillard accueillirent ces derniers mots avec des acclamations de joie et s'installèrent pour le souper.

Oliver mangea sa part ; on lui servit ensuite du gin chaud mélangé avec de l'eau qu'il dut avaler vite parce qu'un autre convive avait besoin du verre. Un instant plus tard, il se sentit porté jusqu'à un des sacs. Il sombra aussitôt dans un profond sommeil.

Le lendemain, la matinée était déjà avancée quand Oliver s'éveilla. Il n'y avait personne d'autre dans la pièce que le vieillard qui faisait du café dans une casserole en sifflotant. De temps à autre, il s'interrompait pour écouter puis revenait à son sifflement et au café.

Oliver n'était plus endormi, il n'était pas tout à fait éveillé, non plus. Il était dans cet état où, les yeux mi-clos, on rêve plus en cinq minutes que pendant cinq nuits de sommeil profond. Il voyait Fagin aller et venir, il l'entendait siffler, il percevait les bruits de la cuillère contre les bords de la casserole et, en même temps, son esprit vagabondait.

Quand le café fut fait, Fagin posa la casserole sur le bord du foyer. Il resta un moment indécis, se tourna vers Oliver pour le regarder, l'appela par son nom. Celui-ci ne répondit pas. Il présentait toutes les apparences du sommeil.

Le vieillard alla à la porte, la ferma à clef. Puis il sortit une boîte de ce qui sembla être à Oliver une trappe dans le plancher et la posa, avec mille précautions, sur la table. Ses yeux brillaient quand il souleva le couvercle. Approchant une vieille chaise de la table, il s'assit et prit dans la boîte une montre en or toute étincelante de pierres précieuses.

— Ha ! les sacripants, marmotta-il avec un hideux

sourire, ils étaient doués, tout de même ! Dire qu'ils n'ont jamais avoué où ils sont, pas même au prêtre. Bah ! à quoi ça leur aurait servi ? Ça aurait pas dénoué la corde autour de leur cou ! De bons petits gars, vraiment !

Tout en tenant ces propos, il tira encore une demi-douzaine de montres du coffret, et aussi des bagues, des broches, des bracelets, des bijoux de toutes sortes, qu'il contempla avec extase.

Il remit le tout dans la boîte et continua ses réflexions à voix haute.

— Quelle belle chose, la peine capitale ! Les morts ne donnent pas leurs complices ! Cinq à la file, pendus à la même corde et pas un qui reste pour dénoncer le vieux Fagin ! Idéal pour le commerce !

Il prononçait ces derniers mots quand son regard tomba sur le visage d'Oliver. Les yeux de l'enfant le fixaient, pleins d'une curiosité muette. Fagin ferma la cassette d'un coup sec, saisit un couteau à pain qui traînait sur la table et se leva d'un bond.

— Pourquoi tu m'espionnes, hein ! petit drôle ? Tu dormais pas ? T'as vu quoi ? Dis-le-moi, hein ! et vite, si tu tiens à la vie ! Vite !

— Je ne pouvais plus dormir, monsieur, dit Oliver d'une voix presque imperceptible. Je suis désolé de vous avoir dérangé.

— Tu me regardes depuis longtemps ?

— Non ! Je viens tout juste de me réveiller !

— T'en es bien sûr ? insista Fagin en le dévisageant férocement.

— Je vous le jure, monsieur. Ma parole !

— Bon, bon ! mon petit ! Ça va ! dit Fagin en retrouvant brusquement sa cordialité habituelle. C'était pour rire !

Il joua un instant avec son couteau avant de le reposer comme s'il l'avait pris seulement pour plaisanter.

— Je voulais juste te faire un petit peu peur, hein ! Mais t'es courageux. T'es un vrai petit brave, hein ! Oliver.

Il se frotta les mains en gloussant de joie puis jeta un coup d'œil embarrassé vers la boîte, sur la table.

— Tu as vu certaines des jolies choses qu'il y a dans la boîte ?

— Oui, monsieur.

— Ah ! fit Fagin en devenant plutôt pâle. C'est que... c'est ma petite cagnotte, hein ! Pour mes vieux jours. Tu vois, je suis économe.

Oliver se dit que le vieillard était plutôt un sacré avare pour vivre dans une telle crasse en possédant autant de bijoux. Mais il songea qu'élever le Filou et les autres garçons lui coûtait sans doute très cher, il se contenta de demander l'autorisation de se lever.

Il avait à peine fini sa toilette que Le Filou rentra avec un de ses camarades, qui était parmi ceux qui fumaient la pipe la veille. Il fut officiellement présenté comme Charley Bates. Les quatre s'assirent pour prendre leur petit-déjeuner qui se composait du café et de petits pains au jambon que Le Filou avait rapportés.

— Alors mes enfants, dit Fagin à l'adresse du Filou tout en observant Oliver du coin de l'œil, j'espère que vous avez été au travail ce matin.

— On a bossé dur, dit le Filou.

— Aussi dur que du bois, renchérit Charley.

— Les braves petits ! Vous avez rapporté quoi ? Toi, Le Filou ?
— Deux matelas de poche, répondit ce jeune homme.
— Bien rembourrés ?
— Pas trop mal, dit Le Filou en exhibant deux portefeuilles.
— Sont pas bien épais, dit Fagin en examinant l'intérieur, mais la doublure est de qualité. C'est un bon ouvrier, hein, Oliver ?
— Très bon, monsieur.
Cette réponse fit se gondoler de rire monsieur Charle Bates, pour le grand étonnement d'Oliver qui ne lui trouvait rien de drôle.
— Et toi, Charley ? lui demanda Fagin quand il fut un peu calmé.
— Quatre tire-jus, répondit l'intéressé en tendant quatre mouchoirs.
— Superbe qualité ! Seulement tu t'es trompé en les marquant. Il va falloir ôter les marques en tirant les fils. Nous l'apprendrons à Oliver ! Tu aimerais savoir tirer les mouchoirs aussi bien que Charley, hein ?
— Oui, si vous avez la bonté de me l'enseigner, répondit Oliver.
Maître Bates trouva dans cette réponse quelque chose qui le fit de nouveau rire, tellement qu'il manqua s'étouffer.
— Il est vraiment trop ! dit-il en manière d'excuse quand il eut récupéré son souffle.
Une fois la table du petit-déjeuner débarrassée, le joyeux vieillard et les deux jeunes gens se livrèrent à un jeu curieux qui se déroula de la façon suivante. Le joyeux

vieillard mit une tabatière dans une poche de son pantalon, un portefeuille dans l'autre, une montre dans la poche de son gilet en l'attachant avec une chaîne. Il piqua une épingle de fantaisie dans sa cravate puis il boutonna son habit jusqu'en haut et mit son mouchoir et son étui à lunettes dans ses poches. Là-dessus, il se mit à déambuler de long en large dans la chambre en imitant les façons qu'ont les vieux messieurs de traîner dans les rues. Parfois, il s'arrêtait devant la cheminée ou devant la porte, faisant comprendre qu'il était absorbé dans la contemplation d'une vitrine. Parfois, il jetait autour de lui des regards alarmés, comme s'il avait peur de se faire voler. Il faisait tout cela d'un air si naturel et si comique qu'Oliver en avait des larmes qui lui coulait sur les joues à force de rire. En même temps, les deux garçons le suivaient de près tout en disparaissant de sa vue avec tant d'agilité, s'il se retournait, qu'il était impossible de suivre leur mouvement. À la fin, le Filou lui marchait sur les pieds ou trébuchait sur sa bottine, Charley le heurtait par derrière, et ils lui prenaient tout, avec une incroyable rapidité : épingle, tabatière, portefeuille, mouchoir, montre, tout, jusqu'à l'étui à lunettes. Si le vieillard sentait une main dans l'une de ses poches, il signalait celle où elle se trouvait et le jeu reprenait au début.

Quand on eut joué un grand nombre de fois, deux jeunes dames vinrent en visite. L'une d'elles se nommait Betty, l'autre Nancy. Elles avaient beaucoup de cheveux, pas forcément très bien arrangés, et n'étaient pas trop nettes relativement à leurs chaussures et à leurs bas. Elles n'étaient pas exactement belles, peut-être, mais, en tout cas, leur visage ne manquait pas de couleurs et elles semblaient être directes et ouvertes. Et comme elles se révélèrent très à leur aise, Oliver jugea que c'étaient des filles aimables. Ce que, sans nul doute, elles étaient.

La visite dura longtemps. On apporta des liqueurs, après quoi la conversation s'anima considérablement.

Finalement, Charley Bates déclara qu'il était temps d'aller jouer du jarret. Oliver pensa qu'il s'agissait d'une expression signifiant sortir car, aussitôt, Le Filou, Charley et les deux jeunes dames s'en allèrent, non sans que Fagin les ait munis d'un peu d'argent de poche.

— Les voilà de sortie pour le reste de la journée ! dit Fagin quand ils furent partis. Un genre de vie qui n'est pas déplaisant, hein ?

— Ont-ils fini leur travail ? demanda Oliver.

— Oui. Sauf s'ils trouvent quelque chose d'urgent à faire, par hasard. Dans ce cas, ils ne laisseront pas passer l'occasion de s'y remettre ! Ce sont vraiment de braves petits ! Prends exemple sur eux, hein ! Oliver. Au fait, est-ce que mon mouchoir ne dépasserait pas de ma poche ?

— Si, monsieur.

— Essaie de le prendre sans que je m'en aperçoive, comme ils l'ont fait tout à l'heure.

Oliver souleva d'une main le fond de la poche ainsi qu'il l'avait vu faire au Filou et, de l'autre, tira légèrement le mouchoir.

— C'est fait ? demanda Fagin.

— Le voici, monsieur, répondit Oliver en le montrant.

— Tu es très adroit ! dit l'aimable vieillard. Tiens ! voici un shilling pour ta peine. Si tu continues sur cette bonne voie, tu deviendras le plus grand homme de ce temps. Et maintenant viens avec moi, je vais t'apprendre comment démarquer les mouchoirs.

Oliver se demanda quel rapport il pouvait y avoir entre tirer un mouchoir de la poche d'un vieillard et devenir un grand homme mais, pensant que, vu son âge, Fagin devait le savoir mieux que lui, il le suivit à la table et ne tarda pas à s'absorber dans ses nouvelles études.

Plusieurs jours passèrent sans qu'il sorte de chez Fagin. Il s'occupa à démarquer les mouchoirs qui arrivaient en quantité et à participer au petit jeu que nous avons décrit. Au bout d'un moment, il se mit à soupirer après le grand air et demanda avec insistance qu'on le laisse aller travailler dehors, avec ses compagnons.

Ce qu'il avait pu voir de l'austère morale du vieillard le rendait d'autant plus désireux de s'adonner activement à l'ouvrage. Chaque fois, en effet, que Jack ou Charley rentraient les mains vides, Fagin leur tenait un discours enflammé sur les malheurs qu'apportent la paresse et l'oisiveté puis, pour leur faire sentir la nécessité d'une vie laborieuse, il les envoyait se coucher sans souper. Il lui arriva même de leur faire dégringoler l'escalier, mais cette fois-là, il poussa ses vertueux principes à des extrémités qui n'étaient pas habituelles.

5

Relate les circonstances d'une rencontre fort importante pour l'avenir d'Oliver

Enfin, un matin, Oliver obtint la permission qu'il avait tant réclamée : Fagin le laissa aller sous la tutelle de Charley et du Filou.

Les trois garçons se mirent en route, Le Filou avec ses manches retroussées, comme d'habitude, maître Bates avec les mains enfoncées dans les poches et Oliver, qui marchait entre les deux en se demandant à quelle branche de leur activité il serait initié en premier.

L'allure à laquelle ils avançaient était si molle qu'Oliver commença à penser que ses compagnons voulaient tromper le vieillard en n'allant pas du tout au travail. En plus, ils faisaient montre de notions bien vague du droit de propriété car ils fauchaient des pommes aux étalages et les faisaient disparaître dans leurs poches qui semblaient sans fond.

Oliver trouvait ces façons si répréhensibles qu'il

s'apprêtait à leur annoncer son intention de rentrer à la maison quand son attention fut attirée par un changement singulier dans le comportement du Filou.

Ils venaient juste d'émerger d'un passage étroit dans les parages de la place de Clerkenwell quand ce dernier s'arrêta, mit un doigt sur ses lèvres et fit reculer ses camarades avec la plus grande circonspection.

— Qu'y a-t-il ? demanda Oliver.

— Chut ! dit Le Filou. Tu vois ce vieux monsieur, à l'étalage du libraire, de l'autre côté de la rue ? Il fera l'affaire !

— Une affaire de première, commenta Charley Bates.

Oliver les considéra avec surprise mais il ne put pas leur poser d'autres questions car ils traversèrent la rue et allèrent se planter derrière le monsieur. Oliver fit quelques pas puis, ignorant s'il devait avancer ou reculer, demeura sur place à les regarder bouche bée.

Le vieux monsieur était un personnage des plus respectables : tête poudrée et lunettes d'or. Il était vêtu d'un manteau vert bouteille, d'un pantalon blanc et portait une canne, qu'il tenait glissée sous le bras. Il avait pris un livre qu'il dévorait avec autant d'attention que s'il était assis dans le fauteuil de son bureau et, à l'évidence, il ne voyait ni la librairie, ni la rue, ni les gamins, ni rien d'autre que le livre.

Quelle ne fut pas l'horreur d'Oliver quand il vit Le Filou plonger sa main dans la poche du monsieur, en tirer un mouchoir, le passer à Charley et, finalement, fuir avec son complice à toutes jambes.

En un instant tout le mystère des mouchoirs, des montres, des bijoux et de l'existence même de Fagin se dévoila à l'esprit d'Oliver. Il resta un moment interdit, la terreur faisant bouillonner son sang. Puis, épouvanté et, ne sachant plus ce qu'il faisait, il détala aussi vite que ses jambes le lui permirent.

Tout cela prit moins d'une minute. Au moment où Oliver se mettait à courir, le vieux monsieur mit sa main à la poche et, n'y trouvant pas son mouchoir, se retourna. Voyant le garçon qui s'enfuyait, il pensa que c'était son voleur et, sans lâcher son livre, se mit à courir à ses trousses en hurlant : « Au voleur ! Au voleur ! » de toutes ses forces.

Le monsieur ne fut pas longtemps seul à crier « Au voleur ! ». Le Filou et Charley Bates s'étaient arrêtés sous le porche d'une maison. À peine eurent-ils entendu le cri et vu Oliver qui courait qu'ils sortirent pour crier eux aussi « Au voleur ! » et se joindre à la poursuite.

— Au voleur !

En un instant une foule compacte fut aux trousses d'Oliver qui, bien qu'à demi mort de terreur, faisait appel à tous ses muscles pour conserver un peu d'avance sur ses poursuivants.

— Au voleur ! Au voleur !

On l'arrêta d'un coup au visage qu'il n'avait pas vu venir et qui l'étendit raide sur le trottoir. La foule s'empressa de l'entourer.

— Voilà le vieux monsieur ! Il arrive !

— Écartez-vous ! Laissez passer le monsieur !

Oliver était allongé par terre, couvert de poussière. Il saignait de la bouche. Il regardait sans comprendre la foule qui l'entourait.

— Pauvre garçon, dit le vieux monsieur, il s'est fait mal.

— Mais non ! dit un gros lourdaud à casquette. J'y ai collé un coup de poing, même que je m'ai coupé la main contre ses dents.

Le vieux monsieur considéra la foule avec dégoût et sans doute serait-il parti si un policier, la dernière personne, d'ordinaire, à se montrer en pareilles circonstances, n'avait pris Oliver au collet.

— Allez, lève-toi ! dit-il rudement.

— Ce n'est pas moi, monsieur, dit Oliver sur le ton du désespoir. Ce sont les deux autres garçons !

— Bien sûr, dit l'agent en haussant les épaules.

— Ne lui faites pas de mal, dit le vieux monsieur avec compassion.

— Oh ! que non, répondit l'agent qui, pour prouver le bien-fondé de cette affirmation, déchira la veste d'Oliver jusqu'au milieu du dos en le tirant par le col. Mets-toi sur tes jambes, petit démon !

Oliver fit l'effort de se relever et l'agent l'entraîna jusqu'au bureau central de police qui était tout voisin. Le vieux monsieur les accompagna, marchant à côté de l'agent, ainsi qu'une partie de la foule.

On fit passer Oliver sous une voûte basse puis par une cour malpropre pour entrer dans ce sanctuaire de la justice sommaire. Là, attendait un homme de haute taille avec une énorme moustache sur le visage et un énorme trousseau de clefs à la main.

— C'est quoi ? demanda-t-il sur un ton blasé.

— Voleur à la tire, répondit l'agent qui traînait Oliver par le collet.

— Z'êtes la victime ? demanda la moustache au vieux monsieur.

— Oui, en effet... Mais je ne suis pas sûr que cet enfant-ci est celui qui m'a volé... J'aurais préféré que l'affaire en restât là.

— Faut voir l' juge, a c't' heure, m'sieur. Son Honneur sera libre dans une demi-minute. Et toi, gibier de potence, oust !

C'était, à l'intention d'Oliver, une invitation à passer par une porte qu'il ouvrit tout en parlant et qui donnait sur une cellule en pierre.

Le vieux monsieur fut aussi consterné qu'Oliver quand on enferma ce dernier à clef. Il regarda en soupirant le livre qui était, bien innocemment, à l'origine de tout ce dérangement et se mit à faire les cent pas tout en se tapotant le menton, de façon pensive.

« Dans le visage de cet enfant... », se dit-il, « il y a quelque chose qui me touche. Se peut-il qu'il soit innocent ? Il me rappelle... Et où ai-je déjà vu une figure comme la sienne ? Il ressemble... »

Il gagna la salle d'attente du prétoire, où, assis seul dans un coin, il convoqua toute une assemblée de visages qui avaient disparus sous le voile de poussière du temps. Mais aucun n'était ressemblant. Il finit par se dire : « Non, ce doit être mon imagination ». Puis, étant un monsieur distrait, il se replongea dans le livre et oublia tout le reste jusqu'à ce qu'il sente une main sur son épaule. C'était le geôlier qui le pria de le suivre et le mit en présence du célèbre monsieur Fang.

Ce dernier était assis au fond de la salle, derrière une balustrade. Près de la porte, enfermé dans une sorte de petit enclos de bois, se trouvait déjà le pauvre Oliver, tout effrayé par la sévérité du lieu.

Monsieur Fang était un homme de taille moyenne, maigre, avec le dos long, le cou raide, peu de cheveux, son visage était très rouge. Et s'il n'avait pas été dans l'habitude de boire, il aurait pu faire un procès à sa physionomie et empocher de substantiels dommages et intérêts.

Le vieux monsieur le salua, posa sa carte sur son bureau en disant :

— Voici mon nom et mon adresse, monsieur.

Puis il recula de trois pas et attendit qu'on l'interroge.

Pour l'heure, monsieur Fang était occupé à lire un éditorial relatant un jugement qu'il avait prononcé récemment et qui le recommandait pour la trois cent cinquantième fois à l'attention toute spéciale du ministre de l'Intérieur. Il était en fureur ; il leva la tête avec un air renfrogné.

— Qui êtes-vous ?

Surpris, le vieux monsieur montra sa carte du doigt.

— Sergent, quel est cet individu ? demanda monsieur Fang en jetant la carte en même temps que le journal.

— Mon nom, monsieur, dit le vieux monsieur, est Brownlow. Permettez-moi, à mon tour, de m'enquérir de celui du magistrat qui se permet d'insulter gratuitement un respectable citoyen.

— Sergent ! hurla monsieur Fang. De quoi est-il accusé ?

— Ce n'est pas l'accusé, Votre Honneur, il comparaît comme plaignant contre ce garçon.

Son Honneur le savait parfaitement, mais c'était un moyen sans risque pour lui d'être désagréable avec les gens.

— Faites prêter serment à ce... à cet homme, dit monsieur Fang.

Monsieur Brownlow allait éclater mais il se dit que s'il laissait libre cours à son indignation, cela nuirait au garçon. De sorte qu'il se contint et se résigna à prêter serment.

— Maintenant, continua Fang, de quoi cet enfant est-il accusé ?

— Eh bien ! j'étais à l'étal d'un libraire...

— Silence, monsieur ! dit monsieur Fang. L'agent de police ! Où est l'agent de police ? Qu'il prête serment ! Vous, l'agent, de quoi s'agit-il ?

Le policier déclara qu'il avait arrêté l'enfant, qu'il l'avait fouillé, qu'il n'avait rien trouvé sur lui et qu'il n'en savait pas plus sur l'affaire.

— Y a-t-il des témoins ?

— Aucun, Votre Honneur, répondit le policier.

Monsieur Fang resta silencieux un petit moment avant de se tourner vers monsieur Brownlow. Il était visiblement dans une colère noire.

— Allez-vous oui ou non formuler votre plainte ? Attention, vous avez prêté serment ! Si vous restez là à refuser de fournir des preuves, je vous punirai pour outrage à magistrat. Je le ferai, nom de...

Nom de qui ? Nom de quoi ? personne ne le saura jamais car le greffier et le geôlier toussèrent très fort à ce moment-là.

Monsieur Brownlow essaya alors de raconter les faits malgré bien des interruptions et des injures, en faisant remarquer qu'il avait couru après le garçon seulement parce que celui-ci s'était enfui. Il exprima l'espoir que le magistrat le traiterait avec autant de douceur que la justice le permettait.

— D'ailleurs cet enfant a déjà été blessé, dit-il pour conclure.

— Mais oui, dit Fang en ricanant. Allons, petit drôle, arrête tes simagrées ! Avec moi, elles ne prendront pas. Ton nom ?

Oliver essaya de répondre, mais la voix lui manqua. Il était pâle comme la mort.

— Ton nom, petit scélérat ? Officier, quel est son nom ?

Ceci s'adressait à un personnage carré en veste rayée qui se tenait près du box des accusés. L'homme se pencha sur Oliver, le trouva hors d'état de comprendre la question et, sachant qu'une absence de réponse rendrait le juge encore plus furieux, il dit au hasard :

— Il affirme s'appeler Tom White, Votre Honneur.

— Alors il ne veut pas parler. Très bien, très bien ! Où vit-il ?

— Où il peut, Votre Honneur, dit le policier après s'être livré au même manège.

— A-t-il des parents ?

— Ils sont morts, risqua le policier en répétant l'histoire habituelle.

À ce point de l'interrogatoire, Oliver leva la tête et demanda d'une voix éteinte qu'on lui donne un peu d'eau à boire.

— N'essaie pas de me prendre pour un imbécile ! s'exclama monsieur Fang.

— Je pense qu'il est vraiment malade, dit le policier en veste rayée.

— Je connais le truc, dit monsieur Fang.

— Prenez garde, il va tomber ! dit monsieur Brownlow en levant les mains.

— S'il veut tomber, eh bien qu'il tombe ! dit monsieur Fang.

Oliver profita de cette permission pour s'évanouir et tomber au sol. Greffiers et policiers se regardèrent mais aucun ne bougea.

— Quand je disais qu'il jouait la comédie, dit monsieur Fang, comme si cet évanouissement le prouvait. Laissez-le par terre, il en aura vite assez.

— Comment allez-vous conclure ce cas, demanda le greffier.

— Trois mois de prison ! répondit monsieur Fang. Avec travail forcé, bien entendu. Allez, débarrassez le prétoire !

On ouvrait déjà la porte, et deux gardiens s'apprêtaient à emporter le pauvre Oliver toujours évanoui dans sa cellule, quand un homme d'un certain âge entra dans la salle d'audience et se hâta de gagner la barre.

— Attendez ! Pour l'amour du ciel, ne l'emmenez pas ! Attendez ! cria le nouveau venu autant que son souffle court le lui permit.

M. Fang ne fut pas qu'un peu scandalisé de voir cet indésirable venir semer le désordre dans sa salle d'audience.

— Qu'est-ce que c'est encore ? Silence ! Jetez-le dehors !

— On ne m'empêchera pas de parler ! Je suis le libraire et j'ai tout vu ! Vous devez entendre ma déposition, M. Fang.

L'homme avait raison. Il semblait déterminé et l'affaire devenait un peu trop sérieuse pour être prise à la légère.

— Faites prêter serment, grogna M. Fang de fort mauvaise grâce. Et maintenant, qu'avez-vous à dire ?

— J'ai vu trois garçons, deux autres et celui qui est dans le box. Le vol a été commis par un des autres garçons. Je l'ai vu faire. Et j'ai vu aussi que cet enfant était totalement stupéfait.

Le libraire fit le récit détaillé de toutes les circonstances du vol.

— Pourquoi n'êtes-vous pas venu plus tôt ? demanda M. Fang quand il eut terminé.

— Je n'avais personne pour garder la boutique. Il y a seulement cinq minutes que j'ai trouvé quelqu'un : je suis venu aussitôt en courant.

— L'accusateur était en train de lire ? demanda M. Fang.

— Oui, répondit le libraire, justement le livre qu'il a à la main.

— Ah ! ce livre qu'il a là ? L'a-t-il payé ?

— Non, dit le libraire en souriant.

— J'ai oublié, s'exclama le vieux monsieur distrait.

— Vous avez préféré traîner cet innocent en justice ! dit M. Fang en faisant des efforts comiques pour se donner l'air compatissant. Je considère, monsieur, que vous vous êtes approprié ce livre dans des circonstances douteuses. Estimez-vous heureux que son propriétaire ne porte pas plainte ! Et n'y revenez pas, sinon, la prochaine fois, la main de la loi s'abattra sur vous. Acquitté ! Évacuez la salle.

— Morbleu ! s'écria M. Brownlow en laissant éclater la rage qu'il avait si longtemps retenue. Morbleu, je vais...

— Faites évacuer la salle, hurla M. Fang.

L'ordre fut exécuté et, malgré son indignation, M. Brownlow fut poussé dehors. Mais quand il fut dans la cour, sa colère tomba d'un coup. Le petit Oliver gisait sur le pavé, la chemise ouverte. Il était pâle comme un mort et un tremblement convulsif le parcourait tout entier.

— Pauvre petit ! dit-il en se penchant sur lui. Faites chercher une voiture, je vous prie. Vite !

On trouva une voiture. Avec beaucoup de précaution,

Oliver fut étendu sur les sièges puis M. Brownlow monta s'asseoir près de lui. La voiture démarra. Elle parcourut à l'envers presque le même chemin qu'Oliver avait pris quand il était entré à Londres avec Le Filou. Seulement, après avoir pris une direction différente à Islington, elle finit par s'arrêter devant une petite maison dans le secteur de Pentonville.

Sans perdre de temps, on prépara un lit dans lequel M. Brownlow eut la satisfaction de voir son jeune protégé installé confortablement pour y être soigné avec une tendresse et une attention sans limite.

Mais pendant plusieurs jours, le pauvre Oliver demeura inconscient de la bonté de ses nouveaux amis. Le soleil se leva et se coucha, puis il se leva de nouveau et se coucha pareillement plusieurs fois sans que le garçon ne bouge du lit où le tenait la forte fièvre qui le rongeait.

Puis, faible, pâle, amaigri, il finit par sortir de ce qui semblait bien avoir été un mauvais rêve. Se soulevant un peu sur le lit, il regarda avec appréhension autour de lui.

— Où suis-je ? demanda-t-il. Où m'a-t-on transporté ?

Comme il était très faible, il put seulement murmurer ces mots mais ils furent entendus tout de suite. Le rideau du lit fut tiré et une dame âgée aux allures maternelles se leva du fauteuil placé près du chevet.

— Chut, cher enfant, dit-elle avec douceur. Il faut rester bien tranquille sinon la maladie te reprendrait. Recouche-toi, mon chéri !

Elle lui caressa gentiment la joue, lui donna à boire et Oliver s'assoupit doucement : d'avoir parlé l'avait épuisé.

Au bout de trois jours, il fut en état de s'étendre sur une chaise longue garnie d'oreillers. Comme il ne pouvait pas marcher, la vieille dame l'avait fait porter en bas.

Elle était en train de réchauffer sur un petit réchaud une casserole de bouillon quand, voyant qu'Oliver ne quittait pas des yeux un portrait accroché juste en face de son fauteuil, elle demanda :

— Aimes-tu les tableaux, mon chéri ?

— Je ne sais pas, répondit-il. J'en ai vu si peu que je ne sais pas. Mais que la figure de cette dame est belle et douce ! Qui est-ce ?

— Je n'en sais rien, mon chéri. Personne que nous, ni toi ni moi, ne connaissons, en tous cas. Tu es sûr qu'il ne te fait pas un peu peur ?

— Oh ! non ! s'empressa-t-il de répondre, mais ses yeux semblent si tristes ! Ils ont l'air de se poser sur moi, et cela me fait battre le cœur, comme si elle voulait me parler sans y réussir.

— Doux Jésus ! ne parle pas ainsi ! Tu es fatigué et impressionnable après ta maladie. Attends, je vais retourner ton fauteuil, comme ça tu ne le verras plus. Voilà ! dit-elle en ajoutant le geste à la parole.

Oliver continuait de le voir avec les yeux de son esprit mais il ne voulut pas alarmer la vieille dame en le lui disant. Il lui sourit gentiment et elle, satisfaite de constater qu'il allait mieux, émietta du pain grillé dans le bouillon. Puis Oliver avala le tout.

Ce fut alors qu'on frappa doucement à la porte. « Entrez ! » lança la vieille dame. Et M. Brownlow entra.

Oliver fit une tentative pour se lever, qui le vit aussitôt retomber en arrière dans les coussins de la chaise longue.

— Pauvre petit ! dit le vieux monsieur. Il est encore si faible ! Lui avez-vous donné à manger, Mme Bedwin ?

— Il vient de prendre un bol de consommé, répondit Mme Bedwin.

— Pouah ! dit M. Brownlow en frissonnant. Deux verres de porto lui auraient fait encore plus de bien, n'est-ce pas, Tom White ?

— Je m'appelle Oliver, monsieur, répondit le malade d'un air étonné.

— Oliver ? dit M. Brownlow. Oliver White, c'est bien ça ?

— Non, monsieur, Oliver Twist.

— Oliver Twist ! Mais pourquoi avoir dit au juge que c'était White. ?

— Je ne lui ai rien dit de tel, monsieur.

Cela ressemblait tellement à un mensonge que M. Brownlow considéra un moment le visage d'Oliver avec sévérité. Il n'était pas possible de douter de sa parole : la vérité se lisait sur ses traits amaigris. « Il s'agira d'une méprise », songea le vieil homme.

Il n'avait plus aucune raison de fixer Oliver mais, à ce moment-là, le souvenir de la ressemblance du garçon avec un visage connu lui revint si fort à l'esprit qu'il continua de le regarder avec attention.

— Par exemple ! s'exclama-t-il. Bedwin, regardez ! Là ! Et là.

En parlant il montra le tableau fixé au mur derrière la chaise puis la figure de l'enfant : c'était la copie vivante du tableau.

Oliver ne sut pas la cause de cette exclamation. Incapable de supporter l'émotion qu'elle lui causa, il s'évanouit.

6

Revient au joyeux vieillard et à ses diverses relations puis traite de la suite du séjour d'Oliver chez M. Brownlow

Profitons de cette faiblesse d'Oliver pour lever le suspens sur le sort des deux protégés du joyeux vieillard : dès qu'ils l'avaient pu, Jack Dawkins et Charley Bates avaient faussé compagnie aux poursuivants pour prendre le chemin qui les ramènerait au logis.

Dans son repaire, Fagin les entendit monter l'escalier. Il était assis près du feu, tenant un cervelas d'une main et un petit pain de l'autre.

« Hé là ! se dit-il, ils ne sont que deux. Qu'est-ce que cela signifie ? »

Les pas atteignirent le palier, la porte s'ouvrit, Le Filou et Charley Bates entrèrent lentement avant de refermer derrière eux.

— Où est Oliver ? demanda Fagin en se levant, l'air menaçant.

Les deux jeunes voleurs se regardèrent l'un l'autre, visiblement mal à l'aise, mais ne firent aucune réponse.

— Qu'est-ce qu'il lui est arrivé, hein ? demanda Fagin en saisissant Jack Dawkins par le col. Tu vas parler ou je t'étrangle !

Le vieillard semblait si résolu à le faire que Charley, redoutant qu'il l'étrangle en second, se jeta à genoux et se mit à gémir très fort.

— Tu vas parler ? hurla Fagin en secouant Le Filou.

— Ben quoi, les poulets l'ont alpagué, dit le garçon, et pis après ?

En même temps, il se tortilla tant et si bien qu'il glissa de sa veste, laquelle resta, vide, aux mains de Fagin. Puis il se saisit de la grande fourchette et tenta d'en porter un coup de pointe au joyeux vieillard.

Avec une agilité surprenante chez un homme d'aspect aussi décati, Fagin fit un bond en arrière, saisit un pot d'étain qui se trouvait sur la table et le lança sur son assaillant qui baissa la tête et l'évita.

— C'est quoi ce binz ? gronda alors une voix grave. Quel est l'animal qui m'a jeté ça ? J'ai le colbac plein de bière à c't' heure ! Cocagne que c'est pas le pot que j'ai reçu pasque je ferais de la casse ! Allez, entre, toi, sale vermine ! T'as honte de ton maître ou quoi ?

Celui qui venait d'entrer et de parler de la sorte était un gaillard râblé d'environ trente-cinq ans, vêtu d'un manteau en velours noir, d'un pantalon de toile bise horriblement taché et de bas de coton gris qui enserraient deux grosses jambes, ce genre de jambes qui semblent nues tant qu'elles ne sont pas munies de fers et de boulets de forçat. Il avait autour du cou un foulard sale avec lequel, tout en parlant, il essuyait la bière qu'il avait reçue. Quand il eut terminé, il offrit aux regards une face épaisse qui n'avait pas été rasée depuis trois jours et des yeux méchants dont l'un portait les marques d'un coup récent.

— Va coucher ! ordonna l'homme en donnant un coup de pied à un chien blanc hérissé dont la tête affichait au moins vingt cicatrices.

Le chien, sans gémir, se coucha dans un coin et se mit à regarder autour de lui en clignant ses petits yeux toutes les trois secondes.

— Qu'est-ce que t'es en train de faire ? demanda le nouveau venu à Fagin en se laissant tomber sur une chaise. Tu maltraites les morpions ? Je me demande comment ils t'ont pas encore troué la paillasse. Moi, si j'étais à leur place, ya longtemps que j' l'aurais fait !

— Chut, Bill, ne parle pas si fort ! Les mômes écoutent !

Tout content de lui, monsieur Sikes se renversa sur sa chaise et demanda à Fagin de lui servir un peu d'eau-de-vie.

Il en vida deux ou trois verres avant de prêter enfin attention aux garçons qui dévoilèrent les circonstances de l'arrestation d'Oliver – circonstances améliorées autant que Le Filou le jugea nécessaire.

— J'ai peur, ajouta Fagin en guise de conclusion, que le petit dise des choses qui nous collent dans les embrouilles.

Il y eut une pause pendant laquelle chacun des membres de cette petite assemblée demeura plongé dans ses réflexions.

— Faut qu'on sache ce qui lui arrivé chez les flics, dit monsieur Sikes. S'il a pas jacté et qu'il est à l'ombre, ya pas de risque tant qu'il ressort pas. Mais à ce moment-là, faudra que t'y remettes la main dessus...

Fagin fit un signe de tête approbateur. Ce plan d'action était tout à fait convaincant mais il se trouvait que messieurs Fagin, Dawkins, Bates et Bill Sikes vouaient tous une antipathie profonde à l'idée de se rendre à proximité d'un commissariat. Aussi restèrent-ils un bon moment sans rien dire ni rien faire. Ils le seraient demeurés encore plus longtemps si les deux charmantes personnes que le lecteur a rencontré dans un chapitre précédent n'avaient pas frappé à la porte.

— J'ai trouvé, s'exclama Fagin en les voyant entrer. Nancy va y aller, hein ! ma chérie ?

— Où tu veux que j'aille ? demanda la jeune personne.

— Juste au commissariat, répondit Fagin d'un ton câlin.

— C'est pas la peine d'insister parce que j'irai pas !

— T'es pourtant exactement celle qu'il faut, ma poule, dit Bill Sikes, vu que personne y t' connaît là-bas. Te bile pas, Fagin, elle va y aller.

M. Sikes avait raison. Comme Nancy avait transporté ses activités dans le secteur tout récemment, elle ne risquait pas, en allant chez la police, d'y rencontrer des têtes connues.

À force de cajoleries et de promesses, elle accepta de se charger de la commission. Elle passa un tablier propre par-dessus sa robe, fit disparaître ses papillotes sous un bonnet, se mit au bras un panier couvert d'une serviette et prit une clef à la main – des accessoires qui lui donnèrent un aspect convaincant de respectabilité – et s'en alla.

En jouant avec un talent certain le rôle de la grande sœur inquiète, elle s'enquit de son cher petit frère auprès des représentants de la loi.

— On ne l'a pas ici, ma chère demoiselle, lui répondit-on.

— Par tous les saints, mais où est-il, alors ? s'écria Nancy en montrant qu'elle avait beaucoup de mal à retenir ses larmes.

— C'est le vieux monsieur qui l'a emmené !

Brisée par un excès d'émotions, elle s'enfouit le visage dans les mains. Les braves représentants de la loi, émus par son désarroi, lui expliquèrent que le garçon, d'abord accusé du vol, avait été acquitté et que, comme il était visiblement très malade, le vieux monsieur l'avait emmené chez lui, quelque part dans le secteur de Pentonville.

Rompue par l'émotion, Nancy tituba jusqu'à la porte puis, dès qu'elle fut dehors, changea son pas contre un autre rapide, pour rentrer annoncer aux autres le succès de sa délicate mission.

— Pentonville, hein ? dit Fagin quand elle eut terminé son récit.

— Faut qu' les mômes trouvent l'adresse exacte ! dit Sikes. Après...

Là-dessus, il se leva de sa chaise, marmotta entre ses dents quelque chose comme « Pas intérêt à moisir ici ! », siffla son chien et s'en alla sans se soucier de souhaiter le bonjour à la compagnie.

Fagin comprit le sens de cette brutale désertion : Oliver n'avait pas parlé jusqu'alors mais il pouvait le faire à tout instant.

— Mes petits agneaux, filez, vous aussi, dit-il en

poussant Charley Bates, Le Filou et les deux filles vers la porte. Je vais fermer boutique quelque temps. Ne revenez pas avant d'avoir découvert où se cache Oliver ! Mais dès que vous l'aurez repéré, vous savez où me trouver.

À peine furent-ils sortis qu'il ferma la porte à double tour, mit la barre, courut à la cachette dont il tira la boîte. Montres, bijoux et bracelets commencèrent à disparaître sous ses vêtements.

« L'a pas encore mouchardé, songea-t-il en vidant la boîte. Ce qu'il faut, c'est lui serrer le quiqui avant qu'il nous dénonce à ses amis. »

De son côté, Oliver revint assez vite de son évanouissement. Mais il ne fut plus question de ressemblance dans la conversation, qui ne porta plus que sur des sujets propres à le distraire sans le fatiguer. Quand il descendit de sa chambre, le lendemain, son premier mouvement fut de regarder le mur. Le tableau n'était plus là.

— Il n'est plus là, dit Mme Bedwin. Brownlow l'a fait décrocher.

— Il ne me faisait pas de mal, vous savez, répondit Oliver. Je l'aimais bien, voilà tout.

Ce furent des jours heureux, ceux de la convalescence d'Oliver. Tout était si calme, si net, tout le monde était si gentil, qu'après ce qu'il avait vécu, il se croyait au Paradis. Dès qu'il put s'habiller, M. Brownlow lui fit apporter des habits neufs, une casquette, des souliers. Jamais Oliver n'avait porté de vêtements neufs auparavant !

Une après-midi, huit jours après l'incident du portrait, M. Brownlow fit dire qu'il voulait le voir dans son bureau. Le garçon s'y rendit. C'était une petite pièce toute garnie de livres, dont la fenêtre donnait sur un joli jardin. Le vieux monsieur était assis à une table, près de la fenêtre. Il invita Oliver à venir s'asseoir près de lui.

— Mon cher enfant, commença M. Brownlow en parlant sur un ton très gentil mais, en même temps, très sérieux, fais bien attention à ce que je vais te dire. Je te parlerai franchement car je suis sûr que tu es capable de me comprendre aussi bien que des personnes plus âgées.

— Oh ! monsieur ! ne me dites pas que vous allez me renvoyer ! s'exclama Oliver que ce ton grave inquiéta. Ne me renvoyez pas ! Gardez-moi ici, comme domestique, mais gardez-moi ! Ayez pitié de moi !

— Cher enfant ! dit M. Brownlow. Tu n'as pas besoin d'avoir peur. Je ne t'abandonnerai jamais, sauf si tu m'en donnes un motif.

— Jamais, monsieur ! Jamais je ne vous le donnerai !

— Je pense que non. J'ai été déçu autrefois par des êtres à qui j'avais accordé ma confiance. Leur trahison m'a causé beaucoup de peine. Je te le dis pour que tu saches que j'ai souffert et pour que tu fasses encore plus attention de ne pas me blesser de nouveau. Tu dis être orphelin et seul au monde. Les renseignements que j'ai eus le confirment. Raconte-moi ton histoire et dis-moi comment tu t'es retrouvé dans la compagnie où tu étais quand je t'ai rencontré. Dis-moi la vérité et, tant que je vivrai, tu ne seras pas sans ami.

Oliver s'apprêtait à raconter son histoire quand un coup de marteau résonna à la porte de la rue. Le domestique annonça monsieur Grimwig.

— Monte-t-il ?

— Oui monsieur, il a demandé s'il y avait des muffins à la maison, et comme j'ai répondu que oui, il a dit qu'il montait prendre le thé.

M. Brownlow annonça en souriant à Oliver que monsieur Grimwig était un très vieil et cher ami à lui et qu'il ne fallait pas prêter attention à ses manières un peu rudes parce qu'il était, au fond, un homme excellent et tout à fait digne d'amitié.

À ce moment-là entra, en se soutenant avec une canne, un vieux monsieur de belle corpulence qui boitait d'une jambe. Il portait un habit bleu, un gilet rayé, des culottes et des guêtres de nankin et un chapeau blanc. Il avait une façon de tourner la tête en parlant et de regarder latéralement qui lui donnait l'allure d'un perroquet.

— Tiens, qu'est-ce que c'est que ça ?

— Le jeune Oliver Twist dont je vous ai déjà parlé, répondit M. Brownlow.

Oliver s'inclina pour saluer.

— C'est le garçon qui a eu la fièvre ? dit M. Grimwig en faisant un petit saut en arrière.

— Qu'en pensez-vous ? demanda M. Brownlow. Charmant enfant, n'est-ce pas ?

— Je ne sais pas.

— Comment cela, vous ne savez pas ?

— Pour moi tous les petits garçons se ressemblent. Je n'en connais que de deux sortes, les blêmes et ceux à face de bœuf. Celui-ci est un blême. J'ai un ami dont le fils appartient à la seconde catégorie : il a de grosses joues, des yeux saillants, des coutures prêtes à éclater tant il remplit ses vêtements, une voix stridente et un appétit de loup.

— Allons, Oliver n'a pas tous ces défauts !

— Il en a peut-être de bien pires.

M. Brownlow toussota pour dissimuler son irritation.

— Que savez-vous de lui ? enchaîna M. Grimwig, l'air ravi. À part qu'il a eu la fièvre ! La belle affaire, d'avoir la fièvre ! J'ai connu un charmant enfant qui l'a eue six fois et qui a fini pendu, à la Jamaïque, après avoir tué père et mère ! Alors charmant, ça ne veut rien dire !

En réalité, l'allure et les manières d'Oliver avaient fait la meilleure impression sur M. Grimwig. Mais il était disposé à contredire le monde entier. Fort heureusement, le domestique entra en apportant le thé. Les muffins, qui étaient moelleux à souhait, eurent un net effet pacificateur sur l'humeur du vieil original et ce fut sur un ton plaisant et presque complice qu'il demanda à son ami :

— Et quand allez-vous entendre le récit complet et véridique de la vie et des aventures d'Oliver Twist ?

— J'aime mieux que ça se passe demain, dit M. Brownlow. Oliver, tu viendras ici à dix heures.

— Oui monsieur, répondit Oliver.

Il parla après une hésitation parce que M. Grimwig fixait sur lui son œil rond et que ça l'intimidait.

— Voulez-vous que je vous dise, chuchota ce dernier à son ami, je l'ai vu hésiter : il ne viendra pas. Il vous trompe, mon cher, j'en mangerais ma tête.

C'était là l'expression dont M. Grimwig usait pour appuyer presque toutes ses affirmations. Elle était d'autant plus bizarre que la taille de la tête en question était telle que son ingurgitation ne pourrait certainement pas se dérouler en une seule fois – le fait qu'elle était poudrée à l'excès promettant de la rendre encore plus délicate.

— Je jurerais que ce n'est pas le cas ! dit tout bas M. Brownlow. Il est honnête, j'en répondrais sur ma vie !

— Et moi, sur la mienne, de ce qu'il ne l'est pas !

— Eh bien, nous verrons !

— Nous verrons qu'il ne viendra pas. J'en mangerais ma...

Madame Bedwin l'interrompit en entrant avec un paquet de livres dont M. Brownlow avait fait l'acquisition le matin même. Les ayant déposés sur la table, elle s'apprêtait à sortir quand :

— Faites patienter le commis du libraire, dit M. Brownlow. Il a des choses à reprendre.

— Il est déjà reparti, monsieur !

— Rappelez-le ! Le libraire n'est pas riche et ces livres ne sont pas payés. De plus, il y en a à rapporter.

On ouvrit la porte de la rue. On courut à sa poursuite. Mais on ne rattrapa pas le commis.

— Envoyez Oliver, dit M. Grimwig avec un sourire ironique.

— Oh oui, monsieur, laissez-moi les rapporter ! dit Oliver.

M. Brownlow allait dire qu'il ne devait pas sortir mais une toux malicieuse de M. Grimwig le décida à laisser aller l'enfant pour prouver à son ami combien ses soupçons étaient infondés.

— Tu vas y aller, mon garçon, dit-il à Oliver en regardant M. Grimwig, tu diras que tu es venu rendre les livres et payer les quatre livres et dix pence que je dois. Voici un billet de cinq livres. Tu devras me rapporter dix schillings de monnaie.

Oliver mit fièrement les livres sous son bras, rangea le billet dans une poche, salua et quitta la pièce en reposant sa casquette sur sa tête.

Mme Bedwin, après lui avoir expliqué le chemin qu'il

devrait prendre, le laissa aller en le suivant des yeux jusqu'au coin de la rue.

— Dieu le protège, dit-elle à voix basse en refermant la porte d'entrée. Je n'aime pas le voir courir les rues de la sorte, tout seul.

De son côté, dans le bureau, le vieux monsieur se rassit à la table. Il tira sa montre de son gousset et la posa devant lui.

— Il sera de retour dans moins de vingt minutes, dit-il.

— Est-ce que vous pensez sérieusement qu'il va revenir ? Il a des vêtements neufs, des livres de prix sous le bras, un billet de cinq livres dans la poche. Il ira rejoindre ses anciens amis et rira de vous. Jamais il ne remettra les pieds ici, mon cher, j'en mangerais ma tête !

Sur quoi il approcha sa chaise de la table et s'assit lui aussi. Et les deux amis attendirent, en silence, la montre posée entre eux deux.

La nuit tomba peu à peu. Bientôt elle fut si épaisse qu'on ne parvint plus à distinguer les aiguilles du cadran. Pourtant les deux amis continuèrent d'attendre, sans mot dire, avec la montre entre eux.

7

Qui montre comment Oliver se retrouva en compagnie du joyeux vieillard tandis qu'un important personnage lui faisait du tort

Dans la salle d'une taverne située dans le secteur le plus crasseux de Little Saffron Hill, deux hommes étaient assis à une table, un pot de bière et un verre de gin posés devant eux. L'un des deux était Fagin. À son pantalon de toile bise et son manteau de velours, le lecteur n'aurait pas eu de mal à reconnaître monsieur Bill Sikes dans la personne du second. Le chien blanc était à ses pieds, occupé à lécher une coupure qu'il avait sur le côté du museau, trace d'une bagarre récente.

Nancy entra, décorée du bonnet, du tablier, du panier avec la serviette, de la clef.

— Alors ma poule, t'es sur la piste ? demanda Bill Sikes.

— On peut dire ça comme ça ! répondit-elle. Le gosse a été malade. Il est resté au pageot sans sortir depuis le premier jour.

Après cette nouvelle rassurante, la conversation roula sur d'autres sujets. Puis Nancy tira son châle sur ses épaules et déclara qu'il était temps d'y aller. Sikes se proposa de la raccompagner. Ils sortirent, laissant Fagin absorbé dans la lecture d'un journal satirique.

Pendant ce temps, Oliver se dirigeait joyeusement vers la boutique du libraire. Arrivé à Clerkenwell, il tourna dans une rue qui ne faisait pas partie de son itinéraire mais il pensa qu'elle devait aussi mener dans la bonne direction et ne fit pas demi-tour.

En marchant, il songeait combien il pouvait se dire heureux quand il fut brutalement tiré de sa rêverie par une femme qui cria très fort :

— Oh ! mon cher petit frère !

Il n'avait pas plutôt levé la tête pour voir qui s'adressait ainsi à lui qu'il se sentit arrêté par deux bras qui lui entourèrent le cou.

— Laissez-moi ! cria Oliver en tentant de se dégager.

La seule réponse fut une suite de cris de joie proférée par la jeune femme qui portait un panier et une clef à la main.

— Bonté divine, je t'ai enfin retrouvé ! Quel vilain garçon tu es de m'avoir fait faire autant de souci ! Rentrons à la maison, mon chéri !

— Que se passe-t-il ? demanda une commère qui assistait à la scène.

— Ah ! Mme, c'est mon petit frère. Il s'est sauvé de chez nous pour courir les rues avec des voyous. Il a brisé le cœur de notre mère !

— Petit scélérat ! grogna une femme, toute prête à aider Nancy.

— Dépêche-toi de rentrer chez toi, sacripant ! ajouta une autre.

— Ce n'est pas vrai ! cria Oliver. Je ne la connais pas. Je n'ai pas de sœur, ni de mère d'ailleurs ! Je suis orphelin et je vis à Pentonville.

— Vous l'entendez comme il me nargue ! dit la jeune fille.

— Mais c'est... vous, Nancy ? dit Oliver qui voyait son visage pour la première fois.

— Vous voyez bien qu'il me connaît ! dit-elle. Il s'est trahi !

— Que diable se passe-t-il ? demanda un homme qui s'était tenu un peu à l'écart avec un chien blanc hérissé sur les talons. Mais c'est le petit Oliver ! Veux-tu retourner chez ta mère, vaurien que tu es !

— Je ne les connais pas, hurla Oliver. Je ne veux pas aller avec eux ! Au secours ! À l'aide !

— À l'aide ? Je vais t'aider moi, répliqua Sikes ! Allons, Nancy, il vaut mieux que je vous raccompagne à la maison !

Joignant le geste à la parole, Sikes saisit le garçon par le bras.

Oliver était terrifié. Au premier étonnement avait succédé chez lui un sentiment d'horreur. Seul face à la force brute de Sikes qui, de plus, se trouvait soutenu par des badauds de plus en plus nombreux, que pouvait-il faire ? Toute résistance était inutile. En un instant il fut entraîné à vive allure dans un labyrinthe de cours où personne ne prêta attention aux cris qu'il continua de pousser de temps à autre.

Les becs de gaz étaient partout allumés. Mme Bedwin attendait anxieusement devant la porte ouverte. Et les deux messieurs restaient assis côte à côte, dans le bureau obscur, la montre entre eux deux.

Pendant ce temps, Oliver et ses ravisseurs marchèrent toute une demi-heure par des rues sales et peu fréquentées pour atteindre, finalement, une boutique qui semblait fermée et inoccupée depuis des années. La maison était quasi en ruine. Une pancarte signalait que les lieux étaient à louer. Elle semblait pendre là depuis des années.

Nancy tapa d'une certaine façon au volet et, peu après, la porte s'ouvrit doucement. Ils parcoururent un couloir sombre, descendirent une volée de marches, entrèrent dans une pièce basse de plafond et humide qu'éclairait faiblement un feu allumé dans la cheminée.

En les voyant, Fagin ôta son bonnet de nuit et leur fit la révérence.

— Ravi de te revoir aussi chic, dit-il à Oliver en palpant l'étoffe de son manteau. Le Filou va te donner d'autres vêtements pour pas que tu salisses ceux-ci, hein ! Mais tu sais, t'aurais dû écrire pour prévenir que tu revenais. On t'aurait gardé quelque chose au chaud pour dîner !

À ce moment-là, une des mains que Le Filou promenait dans les poches d'Oliver tomba sur le billet de cinq livres. Quand il l'en retira :

— Holà petit drôle ! dit Sikes. Ça, c'est pour mézigue. Le bifton est à moi et à Nancy. Et encore, il paie pas la moitié de la peine qu'on s'est donné à l'enlever !

La mort dans l'âme, Fagin fit signe au Filou de donner le billet. Sikes le plia plusieurs fois et le cacha dans le nœud de son foulard.

— Tu peux te garder les livres, vieille momie, dit-il, à supposer que tu sais lire ! Ou alors, vends-les !

— Ils sont au monsieur si gentil, cria Oliver. Je vous en prie, rendez-les-lui, et aussi l'argent. Vous pouvez me garder ici, mais renvoyez les livres, sinon lui et la vieille dame croiront que je les ai volés.

— T'as raison, Oliver, remarqua Fagin en faisant un clin d'œil à Sikes. Ils croiront que tu les as volés, et nous, on pourrait rien souhaiter de mieux, hein !

— Ouais, renchérit Bill Sikes. Pasque comme ça, ils iront pas poser de questions à ton sujet, des fois qu'après ils seraient obligés de te faire mettre en taule ! De ce côté-là, on est tranquille, mimile !

Ces mots entrèrent dans le cœur d'Oliver comme autant de coups de poignard. Mais que pouvait-il faire à part pleurer ? Il ne s'en priva pas alors que Fagin demandait à maître Bates :

— Charley, emmène notre invité au lit !

À contrecœur, Oliver le suivit dans une cuisine contiguë où se trouvaient des lits pareils à ceux où il avait dormi naguère. Charley l'y laissa, dans le noir, et ferma la porte à clef derrière lui en partant.

Oliver était épuisé et brisé de tristesse. Il sombra rapidement dans un profond sommeil.

Pendant qu'il dort, déplaçons notre attention sur un important personnage qui, dans la ville natale d'Oliver, était sorti de bon matin du dépôt de mendicité et avait entrepris de remonter d'un pas digne la Grand-Rue, les pans de son manteau voletant tout autour de lui.

M. Bumble, puisque c'est de lui qu'il s'agit, avait échangé son tricorne contre un chapeau rond, et, son bagage à la main, avait rejoint le dépôt des diligences. Là, il s'était installé sur l'impériale de la voiture en partance pour la capitale, en compagnie de deux miséreux dont il allait plaider le placement à Londres au nom de la pôroisse.

Sans avoir rencontré aucun des désagréments qui sont souvent le lot des voyageurs – sinon ceux que lui avaient causés les pauvres, lesquels s'étaient obstinés à grelotter tout le long du trajet et à se plaindre du froid – il avait atteint Londres à l'heure prévue et s'était installé au relais de la diligence. Il avait dîné de quelques tranches de bœuf rôti avec de la sauce aux huîtres et d'une bouteille de bière brune puis, ayant posé à portée de main un verre de gin à l'eau, il avait tiré sa chaise près du feu et s'était mis en devoir de lire un journal du soir.

La première chose qui lui tomba sous les yeux était l'avis suivant :

CINQ GUINÉES DE RÉCOMPENSE

Le jeune Oliver Twist a disparu ou a été enlevé de son domicile jeudi soir. Depuis, il n'a pas donné de ses nouvelles. La somme ci-dessus sera versée à toute personne qui fournira des renseignements susceptibles de le faire retrouver ou jetant des lumières sur son histoire jusqu'à ce jour.

Au-dessous figurait une description détaillée d'Oliver ainsi que l'adresse de M. Brownlow à Pentonville.

Le bedeau relut trois fois cet avis en ouvrant de grands yeux. Cinq minutes plus tard il était en route pour Pentonville sans même avoir, dans son enthousiasme, trempé les lèvres dans son gin à l'eau.

Quand il prononça le nom d'Oliver, en arrivant, Mme Bedwin s'exclama :

— Entrez vite ! Je savais bien que nous finirions par avoir des nouvelles ! Le cher enfant, Dieu le protège !

On fit monter M. Bumble. Dans le bureau, il trouva M. Brownlow en compagnie de M. Grimwig qui l'invitèrent à prendre un siège.

— Vous venez sans doute pour l'avis, commença M. Brownlow.

M. Bumble approuva dignement de la tête.

— Savez-vous où est le malheureux garçon à l'heure présente ?

— Pas plus que personne, répondit le bedeau.

— Avez-vous du bien à nous dire de lui ? demanda M. Grimwig.

Le bedeau secoua la tête en signe de dénégation.

— Vous voyez ! s'exclama M. Grimwig.

Puis à l'adresse de M. Bumble, il ajouta :

— Allons, mon ami. Racontez-nous tout ce qu'il y a à raconter.

M. Bumble ne se le fit pas dire deux fois. Il déposa son chapeau par terre, rejeta la tête en arrière et, après quelques instants de silence destinés à mieux faire apprécier son propos, commença son récit.

Il serait ennuyeux d'en rapporter les détails car M. Bumble y consacra vingt minutes mais, en gros, il rapporta qu'Oliver était un enfant trouvé, né de parents de basse extraction. Que depuis sa naissance il n'avait fait montre que d'hypocrisie et d'ingratitude. Qu'il avait terminé sa carrière dans sa ville natale en tentant d'assassiner un camarade de travail avant de s'enfuir, de nuit, de chez son maître.

Puis, la conscience satisfaite, le bedeau croisa les bras

sur son ventre et attendit les observations de M. Brownlow.

Il y eut un long moment de silence.

— Ce doit être vrai, je le crains, dit M. Brownlow avec tristesse. Mais j'aurais offert le triple pour un rapport favorable à l'enfant.

Si le bedeau avait reçu cette information plus tôt, il aurait sûrement donné une autre coloration à sa petite histoire mais il était trop tard. Aussi secoua-t-il la tête et, ayant empoché cinq guinées, salua et sortit.

Pendant quelques minutes, M. Brownlow se promena de long en large avec l'air si triste que même M. Grimwig s'abstint de le contrarier. Enfin il s'arrêta et agita violemment la sonnette.

— Madame Bedwin, dit-il quand la gouvernante parut, ce garçon, cet Oliver, est un menteur et un imposteur.

— C'est tout à fait impossible, monsieur ! répondit la vieille dame.

— Puisque je vous le dis ! Nous venons d'apprendre toute son histoire, et il n'a jamais été qu'une petite canaille très ordinaire.

— Jamais je ne le croirai, monsieur ! dit la vieille dame fermement.

— Vous autres, vieilles toupies, vous vous fiez seulement aux histoires à dormir debout, dit M. Grimwig.

— Monsieur, c'était un enfant aimant et reconnaissant, dit Mme Bedwin avec indignation. Je sais ce que sont les enfants, et les gens qui ne peuvent pas en dire autant feraient mieux de ne rien dire.

Cette remarque adressée à M. Grimwig ne provoqua chez lui qu'un petit sourire. La vieille dame allait continuer. Elle fut interrompue par M. Brownlow qui, affectant une colère qu'il était loin de ressentir, dit :

— Silence ! Je ne veux plus jamais entendre parler de cet enfant. Jamais, entendez-vous ? Et maintenant, vous pouvez vous retirer !

Il y eut des cœurs bien tristes chez M. Brownlow ce soir-là.

Quant à Oliver, mieux valut qu'il ignore ce qu'avait raconté le bedeau sinon il en serait mort de désespoir.

Le lendemain matin, Fagin fit à Oliver un long prêche sur l'affreux péché qu'est l'ingratitude. Pour illustrer sa leçon, le vieillard lui raconta l'histoire d'un garçon que, par pure philanthropie, il avait pris sous sa coupe et qui n'avait rien trouvé de mieux à faire que de commettre le même crime qu'Oliver en essayant de prendre contact avec la police. Hélas pour lui, ce garçon avait été pendu un matin, à la prison d'Old Bailey. Fagin ne chercha pas à cacher sa responsabilité dans cette triste fin. Il regretta l'entêtement et la traîtrise du jeune homme qui l'avaient contraint à porter contre lui certains témoignages qui, pour n'être pas vrais, n'en avaient pas moins été indispensables à sa sécurité (à lui, Fagin) et à celle de ses amis.

En l'écoutant, Oliver sentit son sang se glacer car, même s'il comprit mal l'avertissement que contenaient ces propos, il avait assez d'expérience pour savoir que la justice peut confondre l'innocent avec le coupable et ne doutait pas que le vieux scélérat était capable de mettre ses menaces à exécution.

Pendant tout le reste de cette journée et les jours qui suivirent, le garçon demeura tout seul, le plus souvent enfermé dans la cuisine. Abandonné à ses pensées, il se désola en se disant que ses gentils amis de Pentonville devaient se faire une piètre opinion de lui.

Puis, au bout d'environ une semaine, Fagin ne ferma plus la porte à clef. Oliver put rôder dans la maison. C'était un endroit très sale. Dans toutes les pièces, les volets étaient solidement fermés par des barres vissées dans le bois. À part des araignées, il n'y avait aucun signe qu'il y eût quoi que ce soit de vivant dans les parages.

Oliver trouva bien, au grenier, une fenêtre sans volets, mais elle était condamnée et les vitres étaient tellement recouvertes de suie qu'elles laissaient voir seulement une masse indistincte de toits et de cheminées grises que le garçon observait tristement des heures durant.

Au bout de quelques journées supplémentaires de cet isolement, Oliver fut à nouveau admis dans l'enrichissante compagnie de messieurs Bates et Dawkins. L'un et l'autre lui vantèrent les avantages du métier et lui demandèrent avec sévérité s'il envisageait de continuer toute sa vie à vivre au crochet de ses amis.

Dans la journée, les deux garçons et le joyeux vieillard jouaient souvent au petit jeu qui avait tant surpris Oliver la première fois. Était-ce pour l'instruction du Filou et de Charley Bates ou pour celle d'Oliver ? Fagin seul le savait. Parfois, aussi, il racontait certains des vols les plus réussis qu'il avait commis en son jeune âge. Ces récits étaient si pleins de cocasserie qu'Oliver, malgré la délicatesse de ses sentiments, ne pouvait pas s'empêcher d'en rire aux larmes.

C'est ainsi que le misérable vieillard tendait ses filets. À force d'isolement et de tristesse, il avait amené Oliver à préférer n'importe quelle compagnie à la solitude. À présent, il versait peu à peu dans son cœur le poison qui, du moins l'espérait-il, le noircirait définitivement.

Quelque temps plus tard, par une nuit particulièrement sombre et pluvieuse, Fagin sortit de sa tanière après avoir revêtu sa redingote rapiécée et relevé son col plus haut que ses oreilles, de manière à ce qu'il dissimule le bas de sa figure.

Il parcourut un grand nombre de rues étroites et fangeuses jusqu'à Bethnal Green. Tournant à gauche, il s'enfonça dans le dédale de ruelles pauvres qui abondent dans ce secteur avant de parvenir devant une maison délabrée qu'éclairait un seul réverbère. Il frappa à la porte et, après avoir échangé quelques mots avec l'homme qui lui ouvrit, monta. On entendit un chien grogner et une voix demanda qui était là.

— C'est moi, dit Fagin, seulement moi !

— Alors ramène ta carcasse ! dit Bill Sikes. Et toi, l'abruti, couché !

— Brr ! dit Fagin, en entrant, il fait un temps à vous glacer les os.

Il s'approcha de la cheminée, tendit ses mains maigres vers le feu.

— Je suis venu parler affaire, Bill, commença-t-il.

— Cette bicoque à Chertsey, tu veux dire ?

— Oui, précisément celle-là. C'est pour quand, hein ! Bill ?

— Le plus tôt possible. Toby et moi, on a sauté le mur pour aller zieuter de plus près. On a trouvé le moyen d'entrer.

— Ah oui ? Dis-moi lequel !

— C'est pas ton oignon ! Seulement, ya besoin d'un

môme. C'est pour ça que je t'ai demandé de venir. Faut que tu le trouves.

— C'est un vasistas, alors, hein ?

— Je t'ai dit de pas t'occuper !

— Eh bien, alors, je te donnerai Oliver, hein, Bill !

— Pas lui ! dit Sikes. L'est bon à rien.

— Il est peut-être pas aussi débrouillard que d'autres mais t'en as besoin pour quoi, hein ? Pour ouvrir une porte, j'imagine. Il y arrivera toujours. En plus, les autres sont tous trop grands.

— C'est vrai qu'il est juste de la taille que je veux.

— Il fera tout comme tu lui diras, hein, Bill ! Tu verras, il pourra pas s'en empêcher ! À condition que tu lui fasses assez peur !

— Lui faire peur ! L'aura bien assez la pétoche, une fois au boulot.

— C'est prévu pour quand ? demanda Fagin.

— J'ai prévu avec Toby la nuit après demain, répondit Sikes.

— C'est bien, dit Fagin. Y aura pas de lune.

Dans la discussion qui suivit, il fut décidé que Nancy se rendrait au repaire de Fagin le lendemain et qu'elle ramènerait Oliver chez Sikes.

Là-dessus, pour fêter cet accord, Sikes se mit à écluser des verres d'eau-de-vie à un rythme frénétique tout en chantant des chansons assez peu musicales qu'il entrelardait de jurons variés. Puis il se leva pour inspecter sa boîte à outils, tomba comme une masse sur ladite boîte et s'endormit où il était tombé.

Fagin ouvrit la porte et se coula dans la nuit.

8

Oliver est emmené dans une expédition qui n'augure rien de bon mais qui finit par tourner bien pour lui

Quand Oliver s'éveilla, le lendemain matin, Fagin lui dit que le soir même on viendrait le chercher pour le conduire chez M. Bill Sikes.

— Pour... pour y rester, monsieur ? demanda-t-il avec angoisse.

— Y rester ? répondit Fagin. Non, tu nous reviendras, hein ! Je n'aurais pas la cruauté de te renvoyer, mon cher. Pour ça, non !

Le vieillard eut un petit rire montrant qu'il savait parfaitement qu'Oliver souhaitait une seule chose : être renvoyé.

Puis, jusqu'à ce que la nuit tombe, Fagin ne lui parla plus.

Oliver s'imagina qu'on l'envoyait chez Sikes pour y effectuer quelques menues corvées. Aussi finit-il par se rassurer : ayant l'habitude des rebuffades, sa situation ne serait ni meilleure ni pire là-bas que chez Fagin. En fait, tout changement était bon à prendre.

Sa journée se passa comme la veille, dans l'ennui. Puis la nuit tomba. Fagin était sorti. Oliver était seul quand la porte s'ouvrit.

— Nancy ! s'exclama-t-il. C'est vous ?

— Oui, je viens de la part de Bill. Je t'emmène chez lui.

Sentant qu'elle était bien disposée à son égard, Oliver songea un instant à faire appel à elle pour qu'elle l'aide à se tirer de sa pénible situation. Puis il se dit qu'il y aurait du monde dans les rues et que, cette fois-ci, il trouverait peut-être quelqu'un qui le croirait.

Mais ses intentions n'échappèrent pas à la jeune fille.

— Écoute-moi, Oliver, dit-elle, n'essaie pas de te sauver, on te surveille de trop près. Si tu dois t'évader, ce ne sera pas cette fois.

Oliver la regarda. Elle disait la vérité. Elle enchaîna :

— Si je pouvais t'aider, je le ferais. Mais pour le moment, je peux rien. Seulement, si l'occasion se présente, je le ferai. Allez, viens !

Oliver mit la main dans la sienne. Elle grimpa l'escalier. La porte fut ouverte par quelqu'un qui patientait dans l'ombre. Un fiacre les attendait. Le cocher ne demanda pas où ils allaient. Bientôt ils furent à la maison en ruine où Fagin s'était rendu la veille.

— À la bonne heure, vous voici ! s'exclama Sikes quand ils entrèrent. Le môme s'est tenu pénard, au moins ?

— Comme un agneau !

— J'en suis heureux, dit Sikes en regardant Oliver

férocement. Et tant qu'à faire, y'a une chose qui vaut mieux que tu piges illico !

Sikes prit un pistolet de poche qui était posé sur la table.

— Tu sais ce que c'est, ça ? demanda-t-il.

Oliver répondit par l'affirmative.

— L'est chargé ! dit le voleur en approchant le canon de la tempe d'Oliver au point de la toucher. Si tu lâches un seul mot avant que je t'ai causé, t'auras la balle dans la tête et sans prévenir. T'as pigé ?

Claquant des dents, Oliver fit « oui » de la tête. Puis Sikes l'envoya se coucher. Rongé par l'inquiétude, il fut long à trouver le sommeil mais finit par s'endormir. À cinq heures, Sikes l'éveilla.

— Grouille-toi, morpion ! Faut partir de suite.

La théière était sur la table. Oliver fit un semblant de toilette pendant que Sikes rangeait divers objets dans les poches de son grand manteau. Nancy noua un foulard autour du cou d'Oliver, Sikes lui jeta sur les épaules une capuche en toile grossière puis il le prit par la main en lui montrant que le pistolet était prêt dans la poche de son gilet.

C'est un gris petit matin de pluie qu'ils trouvèrent dans la rue. Le vent soufflait. Il avait beaucoup plu pendant la nuit ; de grandes flaques couvraient le pavé, les caniveaux débordaient. Une lueur dans le ciel annonçait le jour mais elle rendait l'atmosphère encore plus triste car elle assombrissait le peu que les réverbères laissaient voir.

Ils marchèrent jusqu'à arriver à Holborn. Entre-temps, un vilain jour s'était levé. Sikes leva les yeux vers l'horloge de St. Andrews.

— Sacrebleu, sept heures ! s'écria-t-il. Va falloir te grouiller plus !

Et il pressa le pas, traînant Oliver derrière lui qui fut obligé de trottiner pour soutenir la cadence. Ils gardèrent cette allure rapide jusqu'à la route de Kensington. Là, Sikes attendit qu'une charrette les rattrape et demanda au conducteur s'il pouvait les emmener.

— Montez, dit l'homme.

Ils dépassèrent Kensington, Hammersmith, Chiswick, Kew Bridge, Brentford. Oliver se demandait où on l'emmenait. Enfin, ils arrivèrent à un carrefour. La charrette s'arrêta. Sikes descendit, non sans montrer la fameuse poche à Oliver qui le suivit sans rien dire.

Quand la charrette fut loin, Sikes s'engagea dans un chemin que bordaient, des deux côtés, de beaux jardins et d'élégantes maisons. Il ne ralentit pas l'allure avant d'atteindre une petite ville où Oliver vit, écrit en grosses lettres : HAMPTON. Ils entrèrent dans une auberge et se firent servir un dîner de viandes froides près du feu.

À la nuit noire, ils se remirent en route. Tout était sombre et désert. Des nappes de brouillard montaient d'une rivière voisine. Oliver, abruti de froid et de fatigue, se demanda avec une appréhension grandissante où et quand cet interminable voyage allait enfin se terminer.

Enfin, ils aperçurent les lumières d'une petite ville. Oliver vit qu'ils se trouvaient près d'un pont et que, sur la berge, il y avait une bicoque délabrée. Sikes, sans lâcher la main d'Oliver, poussa la porte et entra.

— Qui va là ? demanda une grosse voix à l'intérieur.

— La ferme Toby !

— Ah, c'est toi, mon pote !

Le personnage qui les accueillit ainsi était vautré sur

un canapé vermoulu. Vêtu d'un habit marron à la mode avec de gros boutons brillants, d'un gilet mauve, d'une cravate orange et d'un pantalon gris, M. Crackit, car il s'agissait bien de lui, avait des cheveux de teinte rousse et très frisés et les mains chargées de grosses bagues vulgaires.

— Bill, mon brave ami, je me désespérais de te voir !

— Ça suffit comme ça ! dit Sikes. Donne-moi plutôt quelque chose à boire, ça me remettra du cœur au ventre. Et toi, ajouta-t-il à l'adresse d'Oliver, détends-toi un peu les guibolles pasqu'il faudra que t'ailles encore avec nous un peu plus tard. Mais, te bile pas, c'est pas loin.

Oliver tira une vieille chaise près de la cheminée et s'assit. Il ne tarda pas à dormir. Il rêva qu'il parcourait dans le noir des rues à donner la chair de poule ou qu'il arpentait des cimetières à l'abandon jusqu'à ce qu'il soit réveillé par Toby qui déclara que c'était l'heure.

— Magnons-nous, dit Sikes. Amène-toi, morpion !

Oliver mit machinalement sa main dans celle de Sikes.

— Prends-le par l'autre main, Toby, dit Sikes.

Il faisait désormais très sombre. Le brouillard était beaucoup plus dense qu'en début de soirée. Ils traversèrent le pont et se dirigèrent vers les lumières qu'Oliver avait aperçues un peu plus tôt, jusqu'à parvenir à une maison isolée dont le jardin était clos d'un mur.

Sans même s'arrêter, Toby l'escalada en disant :

— Le garçon ensuite ! Envoie-le, Bill, je le récupère !

Sikes saisit Oliver sous les épaules. Avant qu'il ait eu le temps de regarder autour de lui, il était de l'autre côté. Ce fut alors qu'il comprit que le vol, le crime peut-être, étaient le but de cette équipée nocturne. Une sueur froide couvrit son visage ; il tomba à genoux.

— Pour l'amour de Dieu, ne faites pas de moi un voleur !

Sikes poussa un affreux juron et arma son pistolet mais Toby le lui prit, posa la main sur la bouche du garçon et le poussa vers la maison.

— Pas de bruit, Bill ! dit-il. Et toi, un mot de plus et je t'éclate la tête à coups de crosse. Ça ne fera pas de bruit mais le résultat sera kif-kif !

Tout en jurant contre Fagin qui n'avait pas été fichu de dresser Oliver proprement, Sikes introduisit un levier sous le volet d'une petite fenêtre, située sur l'arrière de la maison, à cinq pieds de hauteur environ. Au bout d'un moment d'effort, le volet céda. L'ouverture était si étroite qu'on n'avait pas jugé utile de la munir de barreaux. Un enfant de la taille d'Oliver pouvait y passer, néanmoins. Un instant suffit à l'expérimenté Bill Sikes pour faire ouvrir le battant.

— Et maintenant, écoute-moi bien, dit Sikes à voix basse. Je vais te faire passer par ce vasistas. Une fois dedans, monte les marches qui sont en face, traverse le couloir et ouvre-nous la lourde côté rue.

Joignant le geste à la parole, il fit passer Oliver par la fenêtre.

— Vas-y. Mais rappelle-toi, t'es à portée de pétard. Alors gaffe !

Dans le peu de temps qu'il avait eu pour réfléchir, Oliver avait décidé, qu'il y survive ou non, de donner l'alarme. Animé de cette intention, il s'avançait à pas furtifs, quand :

— Reviens ! s'écria Sikes ! reviens !

Cette exclamation soudaine suivie d'un cri perçant au milieu d'un silence de mort effraya Oliver au point qu'il s'immobilisa.

Le cri se répéta – une lumière apparut – en haut de l'escalier, la vision de deux hommes à demi vêtus et terrorisés – une lueur – un grand bruit – une fumée – un craquement en lui sans qu'il sache où.

— Ils l'ont eu ! dit Sikes à Toby. On se casse, et en vitesse !

Il y eut des cris. Oliver n'entendit rien. Il avait perdu connaissance.

— Madame ! J'en ai un ! Un des voleurs ! cria un des deux hommes.

Ils étaient descendus, tous les deux, avec précaution et, constatant qu'Oliver ne bougeait pas, ils avaient retrouvé courage et voix.

— C'est moi qui l'ai blessé en lui tirant dessus, ajouta l'homme.

— Et moi, j'ai éclairé Monsieur Giles, avec une lanterne, cria l'autre.

— Giles ! dit une douce voix de femme en haut de l'escalier.

— Oui ! mamoiselle. N'ayez aucune crainte, je n'ai pas de mal. Il n'a pas opposé une résistance farouche !

— Chut ! vous effrayez ma tante plus que les voleurs. Est-ce que la pauvre créature est dangereusement blessée ?

— Blessée sans espoir, dit Giles avec une satisfaction bien visible.

— Attendez, que j'aille parler à ma tante.

Avec une démarche aussi douce et gracieuse que l'était sa voix, elle s'éloigna. Elle revint un peu plus tard demander qu'on porte le blessé dans un lit et qu'on aille à Chertsey chercher le docteur Losberne.

— Ne voulez-vous pas venir le voir, mamoiselle ? demanda Giles.

— Sûrement pas, le malheureux homme ! je vous en prie, Giles, traitez-le avec bonté, par amitié pour moi !

Le vieux domestique lui lança un regard aussi affectueux que si elle avait été sa fille. Puis il porta Oliver dans sa chambre et le mit au lit.

Une heure après, le docteur arriva, portant sa longue trousse plate.

Il resta longtemps à l'étage. Le cordon de la sonnette de la chambre fut tiré plusieurs fois et les domestiques montèrent et descendirent l'escalier à de nombreuses reprises. Enfin, il redescendit au salon où l'attendaient la jeune fille, que le lecteur a déjà rencontrée, et une dame d'âge avancé mais aussi droite que le dossier de sa chaise que son dos n'effleurait même pas.

— C'est vraiment extraordinaire, commença le docteur en refermant la porte derrière lui.

— Il n'est pas en danger, j'espère ? dit la jeune fille.

Elle avait à peine passé ses dix-sept ans et ses traits, son visage, ses yeux bleus reflétaient tant d'innocence, d'intelligence et de pureté qu'on eût cru un ange descendu du ciel sur la terre.

— Je ne le crois pas. Mais, Madame Maylie, avez-vous vu ce voleur ?

— Non, répondit la vieille dame.

— Ni entendu parler de lui ?

— Non plus.

La vérité, c'est que Giles n'avait pas pu se résoudre à confesser qu'il avait fait feu sur un petit garçon. Les compliments que lui avait valus sa bravoure l'avaient incité à prolonger son éphémère réputation de courage en remettant à plus tard les explications.

— Auriez-vous des objections à le voir, avec mademoiselle Rose ?

— Certainement pas, s'il y a nécessité.

— Je crois en effet que c'est nécessaire.

Le docteur prit les dames par le bras et les conduisit à l'étage supérieur. Ils entrèrent dans la chambre, il tira doucement le rideau du lit où dormait Oliver et demanda :

— Alors, qu'en dites-vous ?

Au lieu du sombre gredin au visage noirci par le crime qu'elles s'attendaient à voir, ce fut un simple enfant aux traits tirés par la douleur et l'épuisement qu'elles découvrirent. Il dormait, son bras blessé et mis en attelle reposant sur sa poitrine, ses longs cheveux blonds répandus sur l'oreiller lui couvrant à demi le visage.

— Cet enfant ne peut pas être le complice des voleurs ! dit la dame.

— Hélas ! répondit le docteur, le vice s'installe partout ! Qui sait s'il ne se cache pas sous ces dehors innocents ?

— Mais il est si jeune ! s'écria Rose.

— Ma jeune amie, ce n'est pas parce qu'il est jeune qu'il est innocent.

Sur quoi, comme la conversation risquait d'incommoder son patient, le docteur ramena les dames au salon.

— En admettant qu'il se soit engagé sur la mauvaise voie, reprit Rose, songez comme il est jeune. Peut-être n'a-t-il jamais connu l'affection d'une mère ni la douceur d'un foyer ? Les mauvais traitements ou le manque de pain ont pu l'amener à s'associer à des hommes qui l'ont contraint à devenir criminel ? Ayez pitié de lui, ma chère tante ! La prison serait le tombeau de tous ses espoirs de redressement ! Grâce à votre affection, je n'ai jamais souffert de n'avoir pas de parents mais songez que j'aurais pu être aussi seule et aussi désespérée que ce malheureux garçon !

— Chère enfant, dit la vieille dame en attirant la jeune fille contre son cœur, penses-tu que je veuille toucher à un seul cheveu de sa tête ?

— Voici ce que je suggère, dit le docteur qui avait la réputation d'être un excellent homme. Dans un moment, il sera réveillé. Nous lui poserons des questions. À ses réponses, nous jugerons s'il est mauvais. Si tel est le cas, ce qui est possible, nous l'abandonnerons à son destin.

On décida de suivre cet avis. Le soir tombait quand le docteur, qui était remonté au chevet du blessé, annonça qu'on pouvait lui parler.

L'entretien dura. Oliver raconta toute sa simple histoire. Sa faiblesse l'obligea à s'interrompre souvent. Ce fut une chose étrangement solennelle de l'entendre énumérer, dans la chambre qu'envahissait l'ombre, tous les maux et toutes les avanies qu'il avait dû subir par la faute de ses semblables.

Quand il acheva, le docteur et les deux dames avaient les yeux pleins de larmes. Des mains compatissantes tapotèrent son oreiller et arrangèrent son lit pour qu'il puisse se rendormir en paix.

Les souffrances d'Oliver furent longues et cruelles. Outre la douleur que lui causait son bras cassé, le froid et la peur lui avaient donné une fièvre qui le tint au lit plusieurs semaines durant. Mais les bons soins de Mme Maylie, de Rose et du docteur Losberne firent tant et si bien qu'il se rétablit peu à peu et qu'il finit par être assez fort pour exprimer sa gratitude à ses bienfaitrices. Ses propos mêlés de larmes de reconnaissance leur firent comprendre qu'elles ne s'étaient pas trompées en estimant que ses dispositions étaient excellentes.

Un matin, cependant, Mme Maylie vit qu'Oliver semblait triste.

— Que t'arrive-t-il, mon enfant, demanda-t-elle. Tu n'es pas content ?

— Je suis plus heureux que vous ne pouvez l'imaginer, répondit Oliver. Seulement, je me rends coupable d'ingratitude.

— D'ingratitude ? demanda Mme Maylie.

— Oui, envers le monsieur et la vieille dame qui m'ont recueilli. Je sais qu'ils seraient très heureux de savoir combien je le suis moi aussi.

— J'en suis sûre, dit Mme Maylie. Nous allons demander au docteur Losberne de te conduire chez eux.

Le visage d'Oliver s'illumina de plaisir.

Quelques jours plus tard, Oliver et le docteur montèrent dans une petite voiture qui appartenait à Mme Maylie et se mirent en route pour Londres. Quand la voiture s'arrêta devant la maison de M. Brownlow, le cœur d'Oliver battait si fort qu'il pouvait à peine garder son souffle.

Hélas, la maison était vide et il y avait un écriteau à la fenêtre : *À louer*.

Le docteur frappa à la maison d'à côté et demanda si on savait ce qu'était devenu M. Brownlow, qui habitait la maison voisine.

— Il a tout vendu et il est parti pour les Antilles, fut la réponse.

Oliver pensa tomber à la renverse sous l'effet de la déception.

— La vieille gouvernante est-elle du voyage ?

— Oui ! La gouvernante, et un autre vieux monsieur qui est un ami à lui. Tous sont partis ensemble.

Cette désillusion chagrina Oliver car il s'était plu à imaginer pendant sa convalescence ce qu'il raconterait à M. Brownlow et à Mme Bedwin, et le plaisir qu'il aurait à se disculper à leurs yeux. L'idée qu'ils étaient partis si loin en emportant de lui l'opinion qu'il était un menteur et un imposteur lui était intolérable.

Malgré cette contrariété, les mois qui suivirent furent heureux. Les journées se passaient sans qu'aucune pensée triste vienne en troubler le cours. Les nuits n'apportaient avec elles ni crainte ni souci. Le matin, Oliver se rendait chez un maître aux cheveux blancs qui lui apprenait à mieux lire et écrire ; il lui parlait avec tant de douceur qu'Oliver n'arrivait jamais à en faire autant qu'il l'aurait voulu pour le satisfaire. Puis il se promenait avec Rose et Mme Maylie et les écoutait parler. Quand le soir tombait, ils regagnaient la maison où la jeune fille accompagnait au piano une chanson qu'elle chantait d'une voix douce.

Après quoi Oliver préparait la journée du lendemain dans sa chambre ; il mettait tant d'ardeur à travailler qu'il arrivait souvent que la nuit le surprenne avec un livre ou un cahier encore ouvert.

9

Le lecteur assiste à une entrevue importante pour la suite de l'histoire et Oliver retrouve de vieux amis

Ce jour-là, Bill Sikes s'éveilla de sa sieste de mauvaise humeur. Il n'habitait plus l'appartement où nous l'avons vu avec Oliver mais une misérable mansarde, signe d'une situation encore plus piteuse qu'avant la tentative de cambriolage. Depuis cette date, il est vrai, les mois avaient passé sans qu'il fasse autre chose qu'essayer de se faire oublier – une activité peu lucrative qui l'avait réduit aux dernières extrémités.

— Ma poule, dit-il à une jeune femme assise sur la seule chaise du lieu, faut que t'ailles chez Fagin, lui demander du blé.

Pour toute réponse, Nancy fit la grimace.

— Moi je peux pas, précisa Sikes, rapport aux flics.

Nancy soupira, se leva, se dirigea vers la porte.

— J'y vais, dit-elle en sortant. Mais j'aurais préféré m'en passer.

En arrivant à la demeure du joyeux vieillard, elle l'y trouva seul. On était à la belle saison et ses jeunes disciples avaient adapté leurs horaires d'activité à ceux de leurs honorables clients, qui attendaient que la chaleur du jour soit tombée pour sortir.

— Bill a besoin d'argent, hein ? dit Fagin après l'avoir saluée.

— Il est à fond de cale. Il faut que tu lui lâches quelque chose pour le calmer. Il est complètement enragé depuis... En fait, il est capable...

— Je vois, l'interrompit Fagin qui savait très bien de quoi Sikes était capable, c'est-à-dire du pire, et qui avait calculé tout en l'écoutant. Je peux te donner trois livres pour lui. Mais tu lui diras qu'après ça, il n'y aura plus rien. Va falloir qu'il pense à se remettre au travail, hein !

— Je lui dirai. Mais il est si nerveux...

— Attends-moi là, dit-il en tirant une clef de sa poche, je vais... Chut ! Quelqu'un vient ! Ce doit être l'homme que j'attendais un peu plus tôt. Ne t'inquiète pas, il va pas rester plus de dix minutes !

Sur quoi il se leva et alla ouvrir la porte. Un homme entra. Il était grand, très brun, avait le regard dur et, au cou, une marque rouge, comme une brûlure, que son foulard ne dissimulait pas entièrement.

En voyant Nancy, il eut un mouvement de recul.

— C'est une de mes jeunes élèves, dit Fagin. Ne bouge pas Nancy !

Elle n'en avait pas l'intention. Après un coup d'œil vague au nouveau venu, elle tourna la tête pour bien montrer qu'il ne l'intéressait pas.

— Des nouvelles ? demanda Fagin

— Excellentes ! Cette fois, je touche au but ! Le

bedeau m'a vendu ce que vous savez ! Là où c'est maintenant, personne n'ira le chercher !

Puis, montrant Nancy du doigt, l'homme ajouta :

— Il faut que je vous parle !

— Alors venez ! dit Fagin en le prenant par le bras.

Elle les entendit monter et comprit qu'ils allaient au second étage. Avant que le bruit de leurs pas ait complètement cessé, elle grimpa l'escalier à son tour, d'une façon incroyablement silencieuse.

La pièce du sous-sol resta vide un quart d'heure. Puis la jeune femme revint, bientôt rejointe par Fagin. L'homme était sorti directement en descendant des étages.

— Ma chère, dit le vieillard, comme tu es pâle ! Qu'as-tu, hein ?

— Pâle ? dit Nancy. Ce doit être à force d'attendre dans ce trou sans air. Donne-moi plutôt l'argent, que je m'en retourne !

Le vieillard lui remit les trois livres en soupirant puis Nancy s'en alla. Mais à peine fut-elle dehors qu'elle se mit en marche dans une direction qui n'était pas celle de la mansarde où Bill l'attendait.

Petit à petit, elle accéléra le pas au point que, par moments, elle trottait au milieu des passants de plus en plus nombreux qui se retournaient pour la regarder passer en disant : « Elle est folle ! »

Elle arriva dans les beaux quartiers et là, atteignit enfin son but. C'était une paisible pension de famille à proximité de Hyde Park.

Au moment d'y pénétrer, Nancy eut un moment d'hésitation. La cloche d'une église voisine qui sonna dix heures la décida. Elle entra dans le vestibule et demanda au veilleur de nuit :

— Je voudrais voir Mlle Rose Maylie qui est descendue ici.

— Qui dois-je annoncer ? demanda-t-il.

— Mon nom ne lui dira rien !

— Alors, allez-vous-en, répondit le domestique.

— Vous feriez mieux de réfléchir avant de faire une bêtise. Quand elle apprendra que vous m'avez renvoyée, vous perdrez votre place.

Peu soucieux d'avoir des ennuis, il disparut dans l'escalier, laissant Nancy presque hors d'haleine à force d'appréhension.

— Mlle Maylie va vous recevoir, annonça-t-il cinq minutes plus tard.

— J'ai compris qu'on vous a mal reçue, dit Rose de sa voix si douce quand Nancy entra dans le petit boudoir où elle était assise. Oubliez-le, je vous prie. Et dites ce que vous avez à me dire.

Cette gentillesse frappa Nancy qui fondit en larmes.

— Mademoiselle, dit-elle en hoquetant, s'il y en avait plus comme vous et moins comme moi... ce serait... ce serait...

— Asseyez-vous, je vous en prie. Et si je puis faire quelque chose pour vous venir en aide, parlez sans crainte, je le ferai.

— Ne soyez pas aussi gentille avec moi, mademoiselle. Il faut que vous sachiez que je suis l'infâme qui a reconduit Oliver de force chez le vieux bandit, le soir où il a disparu de Pentonville.

— Vous ! s'écria Rose avec un mouvement de recul.

— Je suis la méprisable créature dont vous avez

entendu parler et qui vit parmi les voleurs. Ha ! remerciez le Ciel de vous avoir épargné de vivre dans le froid, la faim, la violence, l'ivresse et tout ce que j'ai subi depuis la naissance. L'égout d'une ruelle, voilà ce qui fut mon berceau, et qui sera mon lit de mort. Mais n'importe... je suis venue pour vous prévenir. Connaissez-vous un homme appelé Monks ?

— Non !

— Il vous connaît, lui. Il sait où vous êtes et c'est par lui, en écoutant ce qu'il racontait au vieux Fagin, que j'ai appris où vous trouver.

— Je n'en ai pourtant jamais entendu parler.

— Ce qui est sûr, reprit Nancy, c'est qu'il a aperçu Oliver le jour où le vieux monsieur l'a recueilli et qu'il l'a reconnu. Apparemment, il le cherchait depuis déjà un moment. Après, il a payé Fagin pour qu'il le récupère et, aussi, pour qu'il fasse de lui un voleur.

— D'Oliver ! Un voleur ? Mais je ne comprends pas !

— Je l'ignorais jusqu'à cette après-midi. Ce Monks est venu chez Fagin. J'ai pu surprendre leur conversation. Il a dit : « J'ai enfin mis la main sur l'unique preuve de l'identité du garçon, l'anneau avec le nom dessus et le médaillon. Ils sont au fond de la rivière et la sorcière qui a reçu la confession de sa mère pourrit dans son cercueil ! » Puis il a ajouté que, désormais, l'argent du gamin était passé du bon côté mais qu'il aurait eu plus de plaisir à l'obtenir de l'autre façon, en lui faisant connaître une des prisons de la ville !

— Qu'est-ce que cela signifie ? demanda Rose les yeux agrandis par un mélange de surprise et d'horreur.

— Il a ajouté, pour finir, qu'il avait mis au point le

plan d'un piège tout à fait remarquable pour y prendre son frère ! Et là-dessus, il a ri !

— Mais c'est affreux ! Et incompréhensible. Qui est le frère de qui ?

— Ce Monks ! D'Oliver ! Son demi-frère, plutôt, aussi mauvais que le garçon est bon.

— Son frère ! s'exclama Rose d'une voix étouffée. Vous croyez qu'il parlait sérieusement ?

— Il parle toujours sérieusement et, voyez-vous, je connais des types qui ont du sang sur les mains, mais je préfèrerais dix fois les entendre proférer des menaces plutôt que lui une seule !

— Que puis-je faire ? dit Rose d'une voix où perçait l'affolement.

— Ça, je le sais pas encore. Il faut attendre... Que j'en sache un peu plus... Maintenant je file ! Je dois rentrer !

— Rentrer ! Mais après ce que vous m'avez dit de votre vie, pourquoi tenez-vous à retourner là-bas ? Votre intervention, cette démarche, au péril de votre vie, tout prouve qu'il y a encore beaucoup de bon en vous. Laissez-vous sauver pour un meilleur avenir.

— Mademoiselle, dit Nancy en tombant à genoux, si j'avais entendu vos bonnes paroles il y a quelques années, elles auraient pu me détourner d'une vie de péché et de chagrin. Mais il est trop tard !

— Il n'est jamais trop tard pour la rédemption !

— Hélas, si, mademoiselle... Je ne sais pas ce que c'est, peut-être la punition que la colère Dieu fait tomber sur moi, mais je suis attachée à un homme malgré les mauvais traitements qu'il me fait subir. Je ne peux plus le laisser à présent ! Cela pourrait lui coûter la vie !

— Seulement, comment pourrai-je utiliser le secret

que vous m'avez confié ? Seule, je ne puis rien faire pour être utile à Oliver.

— Trouvez un homme honnête et bienveillant à qui parler sous le sceau du secret et qui pourra vous aider !

— Au moins, dites-moi si je pourrai vous revoir, en cas de besoin.

— Tous les dimanches soirs, entre onze heures et minuit, je me promènerai sur le pont de Londres. Vous m'y trouverez, si je vis encore. Sur ce, que le Ciel vous garde, mademoiselle, moi je m'en vais !

En disant ces mots, Nancy s'en fut. Rose Maylie demeura seule, accablée par cette étrange entrevue qui lui donnait l'impression qu'elle l'avait rêvée plutôt que réellement vécue.

Le lecteur comprendra que, la nuit qui suivit, elle dormit peu et mal. Avec Mme Maylie, le docteur et Oliver, elle n'était à Londres que depuis la veille. Tous devaient repartir dès le lendemain pour un port de la côte sud où ils comptaient passer quelques semaines de vacances.

Il n'était pas question de parler de cette affaire à Mme Maylie qui s'en serait alarmée, au détriment de sa santé. Quant au docteur, Rose connaissait trop son caractère emporté : avant même qu'elle ait fini son récit, il se serait lancé à la recherche de ce Monks en déclenchant une catastrophe irrémédiable.

Ce fut d'Oliver que vint la solution. Rose était dans le boudoir où elle continuait à réfléchir sans trouver de solution quand, au retour d'une promenade qu'il venait de faire avec Giles, il entra en trombe.

— Pourquoi es-tu si ému ? demanda Rose.

— Je l'ai revu, dit-il en donnant l'impression qu'il allait s'étrangler à chaque mot.

— Revu ? Mais qui donc ?

— M. Brownlow ! Il descendait d'une voiture et je n'ai pas pu lui parler mais Giles a demandé s'il habitait là et on lui a répondu que oui. Mon Dieu ! Dire que je l'ai retrouvé ! J'ai son adresse, ici !

Il exhiba un morceau de papier. Rose lut l'adresse. Ce n'était pas très loin : Craven Street, dans le Strand. Elle vit tout de suite le profit qu'elle pourrait tirer de cette rencontre inattendue.

— Appelle un fiacre ! dit Rose à Oliver. Je t'y conduis tout de suite.

Oliver n'avait nul besoin qu'on lui dise de se presser. Cinq minutes plus tard, ils étaient en route pour Craven Street. Quand ils y arrivèrent, Rose laissa Oliver dans la voiture sous prétexte de préparer le vieil homme aux retrouvailles. Elle demanda à voir M. Brownlow pour une affaire très urgente. On la fit monter aussitôt et elle se trouva face à un homme en habit vert bouteille. Un autre monsieur était assis dans un des fauteuils. Il portait des guêtres de nankin.

— Monsieur Brownlow ? je crois, monsieur, dit-elle.

— C'est moi, dit le vieux monsieur. Et voici mon ami M. Grimwig.

— Je vais peut-être vous surprendre, commença Rose, mais vous avez manifesté naguère une grande bienveillance envers un très cher ami à moi dont, je pense, vous aimerez avoir des nouvelles.

— Mais très certainement, dit M. Brownlow.

— Vous l'avez connu sous le nom d'Oliver Twist.

À ce nom, M. Grimwig lâcha le livre qu'il feuilletait pour se donner une contenance. La surprise de

M. Brownlow ne fut pas moindre mais il la manifesta avec plus de discrétion. Il demanda avec fièvre :

— Si vous avez des éléments propres à changer l'opinion défavorable que j'ai de cet enfant, je vous prie de me les dire sans plus tarder.

— C'est un mauvais bougre, j'en mangerais ma tête !

— C'est un enfant d'un naturel noble et qui a du cœur, dit Rose, dont les sentiments feraient honneur à des personnes ayant dix fois son âge.

— Je n'ai que soixante, grogna M. Grimwig, et comme Oliver en a seulement douze, si je ne m'abuse, je ne vois pas qui vous visez.

— Ne faites pas attention aux remarques de mon ami, dit M. Brownlow. Racontez-moi plutôt tout ce que vous savez de ce garçon.

Rose, qui avait eu le temps de remettre en ordre ses idées, raconta en peu de mots ce qui était arrivé à Oliver depuis qu'il avait quitté la maison de Pentonville. Elle conclut en l'assurant que son seul grand chagrin avait été de ne pas revoir son bienfaiteur et ami.

— Dieu soit loué ! s'exclama M. Brownlow. C'est pour moi un bonheur plus grand que vous ne pouvez l'imaginer, Mademoiselle Maylie, depuis que l'enquête que j'ai menée à l'étranger m'a permis d'en apprendre un peu plus long sur son compte... et le vôtre.

— Le mien, monsieur ? dit Rose en blêmissant.

— Je ne veux rien vous dire avant de l'avoir vu. Où est-il ?

— Dans une voiture, devant votre porte !

— Devant ma porte ! s'écria-t-il en quittant précipitamment la pièce pour descendre l'escalier à la hâte et monter dans la voiture.

Quand M. Brownlow revint accompagné d'Oliver, M. Grimwig fit au garçon un accueil gracieux.

— Tout d'abord, dit M. Brownlow en agitant la sonnette, il y a quelqu'un qui ne doit pas être oublié.

La vieille gouvernante répondit à cet appel immédiatement et, ayant fait une révérence, attendit les ordres.

— Eh bien, Mme Bedwin, dit M. Brownlow, je constate que vous devenez tous les jours un peu plus aveugle !

— C'est hélas le cas ! La vue des gens ne s'améliore pas avec l'âge !

— Chaussez vos lunettes, pour voir ce pourquoi je vous ai fait venir.

La vielle dame commença de fouiller dans ses poches mais Oliver ne lui laissa pas le temps de les trouver : il s'élança dans ses bras.

— Dieu est trop bon envers moi ! s'exclama la vielle femme en le reconnaissant enfin et en l'embrassant, c'est mon cher petit Oliver !

— Oui mon excellente infirmière !

— Je savais bien qu'il reviendrait ! Comme il a bonne mine ! Ah ! que je suis heureuse...

Tout en parlant, elle riait et pleurait tout à la fois et serrait Oliver contre son cœur à l'étouffer.

M. Brownlow laissa le garçon en tête à tête avec la bonne gouvernante. Dans la pièce voisine, les deux hommes entendirent de la bouche de Rose tous les détails de son entrevue avec Nancy. Elle expliqua aussi les raisons qui l'avaient incitée à ne pas se confier d'abord au docteur Losberne. M. Brownlow approuva cette attitude qu'il qualifia de prudente. Il jugea néanmoins qu'il devait avoir au plus tôt un entretien avec le docteur et Mme Maylie.

L'entrevue eut lieu le soir même, à huit heures. Rose n'avait pas exagéré la colère probable du docteur Losberne. Fort heureusement, M. Brownlow lui fit entendre raison par une série d'arguments et de raisonnements qui finirent par le convaincre.

— Alors, que voulez-vous que nous fassions ? dit le docteur.

— Il est clair que pour élucider ce mystère, répondit M. Brownlow, nous devrons faire tout avouer à ce Monks. Ceci ne pourra réussir que par ruse. Si nous le faisions prendre par la police, il nous filerait entre les doigts car nous n'avons aucune preuve contre lui. Nous devrons d'abord voir Nancy pour lui demander de plus amples renseignements sur ce Monks. Jusque-là, restons complètement tranquilles.

Ce délai de cinq jours fit faire la grimace au docteur mais il fut forcé d'admettre que c'était le meilleur parti à prendre.

— Bien entendu, conclut Mme Maylie, nous restons à Londres jusqu'au succès de nos recherches, dussions-nous y passer un an !

10

Le moment arrive pour Nancy de tenir ses engagements, ce qui a des conséquences fatales

Toute rompue qu'elle était à l'art de dissimuler, Nancy ne parvint pas, les jours qui suivirent, à cacher l'effet que produisait sur son esprit le pas qu'elle avait franchi. Fagin et Sikes lui avaient confié des projets dont ils n'avaient parlé à personne d'autre et, même si ces projets étaient vils, même si ceux qui les formaient étaient des individus méprisables, elle se sentait ébranlée dans sa résolution de parler par la crainte d'être, finalement, responsables de leur perte.

Mais comme elle avait pris toutes les précautions nécessaires pour que Sikes ne coure aucun risque, comme elle avait même refusé une vie meilleure pour ne pas l'abandonner, elle resta résolue à continuer.

Ces combats intérieurs répétés se trahirent au dehors. En quelques jours elle devint pâle et maigre. À des moments, elle éclatait de rire sans raison. À d'autres, et ce pouvait être un instant d'après, elle s'enfouissait la tête entre les mains et se tenait à l'écart, silencieuse.

Sikes ne remarqua rien. Le comportement nouveau de Nancy, en revanche, éveilla les soupçons de Fagin. Il s'imagina que la fille, lassée d'être traitée plus mal qu'un chien, s'était trouvé un nouveau compagnon. Il mesura tout de suite l'avantage qu'il pourrait tirer de cette situation. En réalité, Fagin détestait Bill Sikes de toute son âme. Outre que le voleur en savait trop long sur ses affaires, son mépris permanent, ses moqueries, ses insultes, ses rebuffades l'avaient blessé irrémédiablement. Que Nancy veuille le quitter pour un autre, ce serait tout bénéfice. Sikes ne le supporterait pas et il y aurait forcément du grabuge. Si le rival éliminait Sikes, Fagin serait débarrassé des deux, à condition de faire plonger le meurtrier, ce qui serait facile. Si l'inverse se produisait, il parviendrait à persuader Nancy d'empoisonner Sikes pour le venger, elle était fille à le faire. En attendant, à condition d'en savoir plus sur cette liaison, il pourrait accroître son emprise sur elle.

Il décida donc de la surveiller sans relâche.

Vint le dimanche soir. Les horloges sonnaient onze heures trois quarts quand deux personnes apparurent sur le pont de Londres. L'une marchait d'un pas léger : c'était une jeune femme qui regardait autour d'elle pour retrouver quelqu'un qui l'attendait. L'autre était un homme qui se tenait autant qu'il le pouvait dans l'ombre, se déplaçant au rythme des pas de la femme, s'arrêtant quand elle s'arrêtait.

Ils traversèrent ainsi le pont de la rive du Middlesex à celle du Surrey. Puis la femme fit demi-tour, l'air déçu.

La nuit était très noire. Le temps, ce jour-là, avait été

mauvais et il y avait peu de passants. La rivière était couverte d'un épais brouillard qui rendait plus lointaines les lueurs rougeâtres des feux brûlant sur les barges amarrées le long des quais.

La grosse cloche de St. Paul sonna la mort d'une autre journée. À peine deux minutes plus tard, une jeune fille escortée d'un monsieur à cheveux gris descendit d'un fiacre à l'une des entrées du pont. Ayant renvoyé la voiture, les deux nouveaux arrivants s'engagèrent d'un pas décidé. La jeune femme qui attendait se dirigea vers eux.

— J'ai peur de vous parler ici, dit Nancy. Venez là, dans l'escalier !

L'escalier en question permettait l'accès à la berge. Les trois silhouettes y disparurent, aussitôt imité, à bonne distance, par l'espion.

— Arrêtons-nous ici, dit la voix du monsieur. Pourquoi ne sommes-nous pas restés sur le pont ?

— Je vous l'ai dit, j'avais peur, répondit Nancy.

— Là-haut, il y a un peu de lumière... De quoi aviez-vous peur ?

— J'aimerais bien le savoir, dit Nancy. D'affreuses pensées de mort et de linceuls avec du sang dessus m'ont poursuivie toute la journée. J'ai vu le mot cercueil écrit en grosses lettres sur toutes les pages du livre que j'ai essayé de lire cette après-midi !

Il y avait quelque chose de si étrange dans le ton de la jeune femme que l'espion lui-même eut la chair de poule en l'entendant. Il fallut la douce voix de Rose pour le rasséréner un peu :

— Allons, dit-elle, ne vous laissez pas aller à ces affreuses pensées. Je suis venue avec ce monsieur qui s'intéresse au sort d'Oliver.

— Oui, reprit M. Brownlow, Rose nous a raconté votre entretien et j'ai tenu à vérifier qu'on pouvait vous faire confiance. Maintenant que je vous connais, je sais que c'est le cas ! D'ailleurs, pour vous prouver que, de votre côté, vous pouvez vous fier à nous, je vous avouerai que nous voulons arracher son secret au dénommé Monks en lui faisant peur. Alors remettez-le entre nos mains et laissez-nous nous occuper de lui.

— Et s'il venait à dénoncer ses complices ?

— Je vous promets que si j'obtiens de lui les renseignements dont j'ai besoin, l'affaire en restera là. Tout ce qui nous importe, c'est de connaître la vérité. Dans l'histoire d'Oliver, il y a du reste des éléments que je n'aimerais pas voir jetés en pâture au public. La liberté de personne ne sera en danger, je vous le jure.

— J'ai votre parole et celle de Mlle Rose ? demanda Nancy.

— Vous l'avez, dit Rose.

— J'ai toujours vécu au milieu des menteurs, mais je suppose qu'à vous, je peux vous faire confiance.

Et elle commença à décrire en détail le petit cabaret où le frère d'Oliver avait coutume de rencontrer Fagin pour lui donner ses consignes. Elle parla bas, si bas que par moments l'espion caché un peu au-dessus, dans l'ombre, ne parvenait pas à entendre exactement ce qu'elle disait. À la façon qu'elle eut de ménager des pauses dans ses explications, il devina que le monsieur prenait des notes.

Après avoir situé l'emplacement du lieu de ses rendez-vous et donné toutes les informations sur les heures où il s'y présentait, Nancy ajouta de façon à ce qu'ils puissent aisément le reconnaître :

— Il est grand, solidement bâti mais pas gros, il a une démarche furtive et, quand il marche, il regarde sans cesse derrière lui, par-dessus l'épaule. Il est brun de peau et de poil, et bien qu'il n'ait que vingt-sept ou vingt-huit ans, il paraît plus âgé. En plus, comme il est nerveux, il se mord les lèvres et les poings, souvent jusqu'au sang.

— Je crois que c'est tout, dit-elle après un silence. Ah non ! il a aussi, au cou, assez haut pour qu'on puisse la voir sous la cravate...

— Une marque rouge, comme une brûlure, dit le vieux monsieur.

— Quoi ! dit Nancy, vous le connaissez ?

— Je crois que oui... dit M. Brownlow.

Un moment, l'espion n'entendit plus que le bruit de leur respiration.

— Et maintenant, reprit le monsieur, vous nous avez rendu un immense service et je voudrais qu'il en résulte un bien pour vous. Que pouvons-nous faire ?

— Rien ! Personne ne peut plus rien faire pour moi, dit Nancy en se mettant à pleurer. Je n'ai plus rien à espérer !

— La vie a été cruelle envers vous, répondit M. Brownlow, mais tout peut encore changer. Quittez cette existence qui vous fait horreur. Si vous l'acceptez, avant que le jour se lève, vous serez quelque part en sécurité où rien ne pourra vous atteindre. Pensez à un nouveau départ !

— Non. Je suis enchaînée à mon existence misérable. Je la déteste et la méprise, désormais ; mais je ne peux pas la quitter ! Sans doute suis-je allée trop loin pour pouvoir faire demi-tour ! Et maintenant, il faut vous en aller. On finirait par nous voir ou par nous entendre !

Allez ! Tout ce que je vous demande, c'est de me laisser seule.

— Prenez au moins cette bourse, dit Rose. Par amitié pour moi. Que vous ne vous trouviez pas sans ressources dans un moment de besoin !

— Je ne l'ai pas fait pour de l'argent. Laissez-moi le penser comme ça. Si vous y tenez, donnez-moi plutôt quelque chose que je pourrai porter en souvenir de vous, qui êtes si bonne... Votre mouchoir, c'est bien. Merci ! Et adieu, mademoiselle !

Rose rejoignit M. Brownlow qui lui prit le bras. Ils s'éloignèrent.

— N'est-ce pas elle qui nous rappelle ? dit-elle alors qu'ils finissaient de monter l'escalier.

— Non ! ma chère enfant, dit M. Brownlow.

Elle essaya de ralentir l'allure, espérant que Nancy changerait d'avis juste au dernier moment, mais le vieux monsieur l'emmena doucement.

Nancy écouta le bruit de leur pas diminuer dans la nuit. Quand elle n'entendit plus rien, elle se laissa tomber sur les marches de pierre et vida l'angoisse de son cœur en pleurant amèrement. Au bout d'un moment, elle se releva et, d'un pas chancelant, gravit les degrés qui la ramenèrent à la rue.

L'espion resta immobile pendant quelques minutes. Quand il eut la certitude qu'il était seul, il remonta vers le pont en rasant la muraille comme il l'avait fait en descendant. Parvenu en haut de l'escalier, Fagin releva sur le bas de son visage le col de son manteau puis, à grandes enjambées, prit le chemin de son repaire où il savait que Sikes ne tarderait pas à le rejoindre.

Ce fut deux heures avant l'aube, au moment le plus

mort de la nuit, qu'un bruit, dans la rue, vint frapper l'oreille exercée de Fagin et le tirer de sa prostration. Depuis son retour, il était resté assis devant un feu mourant, enveloppé dans une couverture déchirée, à mordre distraitement ses ongles noirs tandis que ses pensées étaient ailleurs. Rage de voir ses plans bouleversés, haine contre la jeune fille qui avait pris contact avec des adversaires, crainte d'être découvert, ruiné, peut-être pendu, voilà ce qu'il avait ruminé depuis sans remarquer que le temps passait.

— Enfin, dit-il en frottant sa bouche desséchée par l'inquiétude.

Il se leva pour ouvrir la porte. Sikes entra et ôta son manteau avant de se laisser tomber sur une chaise. Fagin se tourna vers lui, leva la main et agita un doigt tremblant, mais sa rage était telle qu'il ne fut pas capable de prononcer un mot.

— Damnation ! l'est devenu dingo ! s'écria Sikes.

— Non ! dit Fagin. T'es pas la personne après qui j'en ai ! Mais ce que j'ai à te raconter va te rendre encore plus furieux que moi.

— Vas-y mais grouille !

— Suppose qu'un des gosses qui dorment à côté... commença-t-il.

— Alors quoi ?

— Suppose qu'il ait pris rendez-vous avec des gens pour leur expliquer à quoi tu ressembles, et aussi leur donner l'endroit où ce serait le plus facile de t'arrêter. Suppose ça. Tu ferais quoi ?

— Ce que j'y ferais ? rugit Sikes en hurlant un épouvantable juron. J'y écrabouillerais le crâne sous mes talons ferrés et j'en ferais autant de morceaux qu'il a de tifs sur la caboche.

— Et si c'était moi qui avais fait ça, hein ? reprit Fagin. Moi qui en sais assez pour faire pendre quelques douzaines de gus ?

— Chais pas, dit Sikes en pâlissant à cette idée. Je crois que je te mettrais la tronche en miettes ! J'aurais assez de force pour t'aplatir la tête comme si une charrette avait roulé dessus !

— Tu le ferais, hein ?

— Tu paries ? Essaye toujours.

— Alors écoute-moi, hein ! Il y a quelqu'un, ce soir, qui est allé sur le pont de Londres. Là, ce quelqu'un a attendu jusqu'à ce qu'arrive un beau monsieur et une belle demoiselle. Après quoi, tous les trois, ils ont sacrément causé. Et tu sais ce qu'ils lui ont demandé, le monsieur et la demoiselle à ce quelqu'un ? De livrer ses amis, rien que ça !

— Qui c'est, Fagin ? demanda Sikes d'une voix blanche.

— Fais pas le malin, Bill. T'as deviné, j'en suis sûr, hein !

— Par le feu de l'Enfer ! rugit le voleur.

Il se leva et, d'un bond, fut à la porte. Fagin ne fit rien pour le retenir. Seulement, il cria comme l'autre sortait :

— Sois pas trop violent, hein, Bill ! Pense à notre sécurité !

Bill Sikes l'entendit-il ? En tout cas, il ne répondit pas. Il fonça dans les rues désertes sans s'arrêter, sans réfléchir un instant, sans tourner une fois la tête, les dents serrées, l'air farouche,

Arrivé à la porte de sa maison, il ouvrit doucement,

monta les marches, pénétra dans la chambre, tira le rideau du lit.

Nancy était couchée. L'entrée de Sikes l'avait éveillée en sursaut.

— Debout ! cria le bandit.

— C'est toi, Bill, dit-elle, visiblement heureuse de le voir rentré.

— C'est moi, grogna-t-il. Debout, je t'ai dit !

Il y avait une bougie qui brûlait. L'homme l'écrasa. Voyant qu'il commençait à faire jour, la fille alla à la fenêtre pour tirer le rideau.

— Laisse fermé ! dit-il. Ya assez de lumière pour ce que j'ai à faire.

— Bill, dit-elle d'une voix assourdie par la peur, qu'est-ce que t'as ? Pourquoi tu me regardes comme ça ?

Le voleur s'assit et la considéra un instant, les narines dilatées et la poitrine haletante. Puis, la saisissant par la tête et par le cou, il la traîna au milieu de la pièce et lui mit sa grosse patte sur la bouche.

— Bill, arrête ! gémit-elle. Écoute-moi, je... je crierai pas... pas une fois... écoute-moi, je vais t'expliquer... Bill ! Dis-moi ce que j'ai fait !

— Tu le sais ! On t'a surveillée. Tout ce que t'as dit, on l'a entendu !

— Alors épargne ma vie comme j'ai épargné la tienne, pour l'amour du Ciel. Mon cher Bill, tu ne peux pas m'en vouloir ! Pense à tout ce que j'ai refusé cette nuit à cause de toi. Évite une nouvelle bêtise ! Lâche-moi, je ne m'enfuirai pas ! Je ne te quitterai pas Bill ! Je te le jure, sur mon âme, je ne t'ai pas trahi !

Le voleur lutta pour éviter son étreinte mais Nancy

parvint à lui passer les bras autour du cou et à se serrer contre lui.

— Écoute, Bill, cette nuit, ils m'ont proposé de me trouver un endroit tranquille loin d'ici, à l'étranger. Laissons tomber cette vie pourrie qu'on mène ici et partons... Bill, je t'en supplie.

Le brigand dégagea un de ses bras et saisit son pistolet. Mais, malgré sa rage, il pensa qu'il serait découvert tout de suite s'il faisait feu. Par deux fois, et de toutes ses forces, il frappa le visage de Nancy qui touchait presque le sien. Elle tomba. Presque aveuglée par les flots de sang qui ruisselaient de la blessure qu'elle avait au front, elle se releva sur les genoux, tira de son corsage un mouchoir, – celui de Rose – et, l'élevant vers le Ciel aussi haut que le lui permettaient ses forces défaillantes, elle implora la pitié de son Créateur.

C'était un horrible spectacle.

Le meurtrier s'approcha du mur d'un pas mal assuré ; puis il se saisit d'un lourd gourdin et, mettant la main sur les yeux, il l'acheva.

11

La fuite de Sikes. M Brownlow rencontre enfin celui qu'il recherchait

Le soleil qui ramène à l'homme la vie et l'espérance se levait sur la populeuse cité de Londres. Il inondait à flots la chambre où gisait la femme assassinée. Le meurtrier n'avait pas bougé de place. Il y avait eu un gémissement et un mouvement d'une main et, avec une rage qu'augmentait la terreur, il avait frappé et frappé encore.

Pendant un moment, il avait posé une couverture sur le cadavre, mais c'était pire de s'imaginer que, dessous, les yeux de sa victime se tournaient vers lui. Il l'avait retirée. Et le cadavre était là – de la chair et du sang, rien d'autre – mais quelle chair et tant de sang !

Il battit le briquet, fit du feu et y jeta le gourdin. Puis il se lava les mains et brossa ses vêtements. Il y avait des taches qu'il ne parvint pas à effacer. Il coupa les endroits salis et les mit au feu.

Pendant tout ce temps, il n'avait pas tourné le dos au

cadavre. Il alla jusqu'à la porte en reculant, la ferma et sortit de la maison.

Il regarda la fenêtre pour vérifier qu'on ne voyait rien de dehors. Le rideau était toujours baissé. Elle avait voulu le lever pour faire entrer le soleil. Elle était juste là, derrière. Mon Dieu, comme il y avait du soleil qui voulait entrer !

Il siffla le chien et s'éloigna à grandes enjambées.

Il traversa Islington et gravit la colline de Highgate mais en se déplaçant à l'aventure, sans savoir d'avance où aller. Il prit à droite, suivit un sentier à travers champs, longea Caen Wood, puis, après avoir traversé la route qui va de Highgate à Hampstead, gagna les champs de North End et se coucha le long d'une haie. Il s'endormit.

Bientôt il fut debout et en marche, non plus vers la campagne, mais vers la ville, sur la grand-route, puis il fit demi-tour, passa par des prés qu'il avait déjà traversés, montant puis descendant, se dissimulant dans des fossés herbeux pour se reposer, se remettant en route pour arriver ailleurs et, de là, recommencer à errer.

Où trouver un endroit assez rapproché et pas trop fréquenté pour manger et boire ? Il se dirigea du côté de Hendon, tantôt à grands pas, tantôt en traînaillant à la vitesse d'un escargot. Mais une fois là, les gens et jusqu'aux enfants, semblèrent le regarder d'un air soupçonneux. Il fit marche arrière, sans avoir eu le courage d'acheter quoi que ce soit bien qu'il n'ait rien mangé depuis des heures.

La matinée et l'après-midi avaient passé, le jour déclinait et il allait toujours de droite et de gauche, pour revenir toujours au même endroit. Enfin il s'éloigna et se dirigea vers Hatfield.

Il était neuf heures du soir quand l'homme, à bout de force, et le chien, qui boitait, entrèrent dans un pub pour y boire et y manger.

Il y avait quelques paysans qui buvaient de la bière. Il s'installa à l'écart, but et mangea. Il allait s'endormir quand un homme entra.

— Quoi de neuf en ville, Benjamin ? lui demanda le tenancier.

— On parle d'un assassinat du côté de Spitafields, une femme !

Sikes ne voulut pas attendre davantage. Il se leva et s'éloigna.

Laissant le village derrière lui, il s'enfonça dans les ténèbres de la grand-route mais, très vite, il se sentit gagné par un sentiment de terreur. Tout, devant lui, prenait une apparence effrayante, mais ses craintes n'étaient rien face à l'épouvante que lui causait l'image du corps ensanglanté du matin qui marchait sur ses talons. Il pouvait en distinguer les moindres détails dans l'ombre, et sentir combien il était raide quand il avançait. Il entendait le bruit des vêtements frôlant les feuilles, il entendait l'ultime cri qu'elle avait poussé. S'il s'arrêtait, la vision faisait de même. S'il courait, le fantôme ne lui courait pas après, ç'aurait été une consolation, il était porté en avant par un vent soufflant au ras du sol. Parfois il se tournait pour faire face. Mais son sang se glaçait dans ses veines car l'autre faisait demi-tour en même temps pour se trouver, de nouveau, derrière lui.

Dans un hangar, non loin de la route, il s'abrita pour la nuit. Il n'était plus capable de faire encore un pas.

Mais quand il se fut installé le long du mur, il dut subir une autre torture.

Ces yeux glauques et grands ouverts que, le matin, il avait préféré voir plutôt que de les imaginer sous la couverture, apparurent au milieu des ténèbres. Il n'y en avait que deux mais ils étaient partout. Il bondit hors du hangar. La silhouette sanglante était là. Il rentra de nouveau, pour retrouver les yeux qui l'attendaient.

Il resta ainsi à trembler de tous ses membres, en proie à une terreur que nul n'aurait pu décrire, de la sueur froide s'échappant en abondance de tous ses pores, jusqu'à ce qu'il perçoive les premières lueurs du matin. Il prit la décision de revenir à Londres.

« Au moins », songea-t-il, « j'aurai quelqu'un à qui causer. En plus, ils penseront pas forcément à m'y chercher, s'ils me croivent loin ! Et puis je forcerai le vieil avare à lâcher de quoi passer en France ! »

Cette décision arrêtée, il se mit en devoir de regagner la ville par les chemins les moins fréquentés. Quand il n'en fut plus très loin, il décida d'attendre la nuit qui lui permettrait de passer inaperçu.

Restait une question à résoudre : le chien. On avait sûrement précisé qu'il avait suivi son maître. Il risquait de le faire repérer. Il résolut de le noyer et chercha une mare. Au passage, il ramassa une grosse pierre et y noua son foulard.

Le chien suivit son maître du regard tout le temps qu'il se livra à ces préparatifs mais en restant loin de lui. Et quand l'homme s'arrêta au bord d'une mare et l'appela, il se coucha et demeura immobile.

— Viens ici, vermigne ! dit le voleur.

Le chien remua la queue mais ne bougea pas.

L'homme se dirigea vers lui. Le chien s'enfuit en courant et disparut.

L'homme l'appela, l'attendit un moment puis, content de s'en être débarrassé d'une façon ou d'une autre, se remit en marche.

Pendant ce temps, M. Brownlow descendait d'un fiacre accompagné de deux hommes robustes qui extirpèrent un troisième individu de la voiture et le firent entrer de force dans la maison.

— Il sait à quoi s'attendre, dit M. Brownlow aux deux hommes. Restez dans la rue, devant la porte. S'il ressort seul, attrapez-le et livrez-le à la police comme escroc et comme faussaire.

— De quel droit osez-vous me traiter ainsi ? dit l'homme dont il était question et qui n'était autre que Monks.

— Libre à vous d'aller vous placer sous la protection de la loi, répliqua M. Brownlow. Mais avant, réfléchissez bien !

— C'est bon, dit Monks en ôtant son chapeau. Mais voilà une belle façon de me traiter ! Pour le plus vieil ami de mon père...

— C'est parce que j'étais l'ami de votre père que je suis prêt à vous épargner, Edward Leeford, même si vous êtes indigne de ce nom !

— Je ne vois pas ce que le nom peut avoir à faire là-dedans.

— C'était le sien ! À elle ! Cette sœur unique de votre père sur qui reposaient tous les espoirs de bonheur de ma jeunesse. Elle que j'ai menée au tombeau la veille du jour fixé pour nos noces ! Malgré tant d'années qui ont passé, je me souviens de l'émotion qui était la mienne quand je l'entendais prononcer, ce nom !

— Cela est bien beau, dit Monks, mais où voulez-vous en venir ?

— Vous avez un frère, dit M. Brownlow en maîtrisant son émotion.

— Vous savez bien que j'étais fils unique !

— Je sais que sa famille força votre père à se marier alors qu'il était très jeune et que vous êtes le seul fruit de ce mariage malheureux. Je sais aussi que cette union fut pour lui une longue série de souffrances et que, finalement, vos parents se séparèrent. Votre mère trouva des distractions sur le continent et parvint à y oublier son époux. Lui resta en Angleterre où il se fit de nouveaux amis, ce que vous savez.

— Non ! dit Monks en frappant rageusement du pied.

— Votre réaction – et vos agissements – prouvent le contraire. Ces nouveaux amis étaient un officier de marine à la retraite et ses deux filles. L'aînée, âgée de dix-neuf ans, était belle comme le jour, la seconde n'avait guère que deux ou trois ans. Votre père était encore jeune, puisqu'on l'avait forcé à se marier à juste seize ans. Au bout d'un an, il avait contracté des engagements solennels envers la jeune fille pure et naïve dont il était la première passion. Finalement, le riche parent à qui on avait sacrifié le bonheur de votre père mourut. Il fallut que votre père parte pour Rome où le vieillard laissait des affaires embrouillées. Il s'y rendit à contrecœur, y contracta une maladie mortelle, y fut rejoint par votre mère qui vous avait emmené. Le lendemain de votre arrivée, il mourut.

Leeford ne soufflait plus pour manifester son impatience.

— Seulement, avant de partir, il me rendit visite. Il me laissa, parmi d'autres choses, un portrait de la jeune fille qu'il aimait. Il me fit part, également, de son intention de réaliser sa fortune, d'en verser une partie à sa femme et à vous, puis de s'expatrier pour toujours. J'ai deviné qu'il ne partirait pas seul. De fait, il m'avoua, mais de manière assez incohérente, qu'il avait déshonoré une famille et qu'il m'en dirait plus long à son retour. Hélas ! ce fut ce jour-là que je le vis pour la dernière fois. Par la suite, je me rendis sur les lieux de son coupable amour. La famille avait quitté le pays depuis huit jours. Ils étaient partis pendant la nuit. Nul ne put me dire où ni pourquoi.

Leeford se mit à respirer beaucoup plus librement.

— Cependant, quand votre frère fut sauvé par moi de l'infamie...

— Quoi ! s'écria Leeford en tressaillant.

— Et oui ! reprit M. Brownlow. Je vois que mon récit finit par vous intéresser. Alors que cet enfant, donc, était chez moi, je fus frappé par sa ressemblance avec le portrait. Mais je n'ai pas besoin de vous dire comment il fut enlevé avant que j'aie pu l'interroger sur son histoire.

— Et pourquoi cela, monsieur ?

— Parce que vous le savez mieux que moi !

— Vous... vous... n'avez aucune preuve contre moi !

— Nous verrons... J'avais perdu le garçon et votre mère était morte. Vous restiez la seule personne capable d'éclaircir ce mystère. La dernière fois que j'avais entendu parler de vous, vous étiez aux Îles. J'ai fait le voyage. Vous étiez parti et on vous supposait à Londres.

Je suis donc revenu en Angleterre où je vous ai fait rechercher. J'ai bientôt appris quelles compagnies avaient vos préférences. Jour et nuit, j'ai visité les cabarets et les bouges les plus infâmes qui étaient vos lieux de prédilection. Mais pas moyen de vous mettre la main dessus. Jusqu'à ce qu'enfin, mes efforts soient récompensés.

— Eh bien ! je suis ravi de faire votre connaissance, dit Monks en saluant. Seulement fraude, escroquerie... Ce sont de grands mots que justifie, selon vous, la ressemblance d'un vagabond avec un tableau. Un frère ! Vous ne savez même pas si ce couple a eu un enfant !

— J'ai tout appris. Vous avez un frère, vous le savez ! Il y avait un testament, votre mère l'a détruit. Elle vous l'a avoué, et aussi qu'il y avait un enfant. Vous avez reconnu Oliver quand vous l'avez rencontré, à cause de sa ressemblance avec votre père. Vous avez découvert où il est né. Il existait des preuves de sa naissance et de ses origines. Un médaillon et un anneau, que le bedeau avait subtilisés à la vieille sage-femme. Ces preuves, vous les avez détruites, vous l'avez dit à votre complice, Fagin. Et maintenant, fils dénaturé, lâche, menteur, dont les manœuvres ont causé la mort de quelqu'un qui te valait mille fois, oseras-tu encore me braver ? Tremble, Edward Leeford ! Pas un seul de tes propos, pas un seul de tes agissements ne m'est inconnu, car les ombres que tu as vues sur les murs pendant que tu préparais tes crimes sont venues me raconter tes secrets. Un meurtre a été commis et tu en es, moralement, le responsable !

— J'ignore ce qu'il s'est passé, répondit Leeford visiblement très ébranlé. Je crois qu'il s'est agi d'une banale dispute !

— C'était pour avoir révélé une partie de vos secrets, dit M. Brownlow en soupirant. Et maintenant, êtes-vous prêt à écrire de votre main le récit de tout ce que vous avez fait pour perdre Oliver ?

— J'y suis décidé, dit Monks assez piteusement.

— Un dernier point. Si vous le faites, vous serez quitte.

— De quoi s'agit-il ?

— De restituer à l'enfant la fortune qui était la sienne.

Alors que Leeford, entre crainte et haine, réfléchissait aux moyens d'éluder la proposition qui lui était faite, le docteur Losberne entra.

— L'homme sera capturé ce soir ! dit-il. On a vu le chien près d'un de leurs repaires. Le maître s'y trouve aussi ou n'est pas loin. La police veille de tous les côtés, il n'a plus une chance d'en réchapper.

— Et Fagin ?

— S'il n'est pas déjà pris, ce sera le cas d'une minute à l'autre.

— Alors, demanda M. Brownlow à Leeford, votre décision ?

— Je ferai tout comme vous m'avez demandé.

Et s'approchant du bureau, il se mit en devoir d'écrire.

12

Qui voit la fin de Sikes et explique bien des mystères

Dans ce secteur de la Tamise voisin de l'église de Rothe-rhithe, où les masures sur les berges et les bateaux amar-rés aux rives sont les plus noircis par la poussière des charbonniers et la suie que crachent les maisons basses des alentours, se trouve la plus crasseuse et la plus étrange des diverses localités que Londres renferme : l'île de Jacob. Elle est entourée d'un fossé boueux, profond de huit pieds, large de vingt, qu'on peut laisser se rem-plir à marée haute en maintenant ouvertes les anciennes vannes du moulin de Lead Mills.

Le visiteur qui s'arrêterait sur une des passerelles qui enjambent ce fossé découvrirait avec surprise un spec-tacle de galeries de bois vermoulu courant d'une maison à l'autre, de fenêtres brisées, de pièces petites, sales, confinées, où l'air semble trop vicié même pour la misère noire qu'il brasse.

Les maisons n'ont plus de propriétaire ni de porte. N'y entrent que ceux qui en ont le courage. Ils y vivent, certains y meurent. Mais pour y chercher refuge il faut qu'ils aient une solide raison de se cacher ou de désespérer.

À l'étage d'une de ces bicoques, une bâtisse à peu près ruinée mais dont les portes et les fenêtres étaient barricadées, il y avait deux personnages que le lecteur a déjà eu le plaisir de rencontrer et qui n'étaient autres que Toby Crackit et maître Charley Bates.

— Alors, comme ça, le vieux Fagin s'est fait prendre... dit Toby.

— Cet après-midi, dit Charley. Sur le coup de deux heures. Quand les flics ont enfoncé la porte, je me suis tiré par une cheminée.

— Il s'est quand même fait cravater, cette vieille crapule ! dit Toby d'un ton joyeux. Et les autres ? demanda-t-il.

— Le Filou a pu se tirer aussi, répondit Charley. Mais il courra plus longtemps. Ils le connaissent. S'il se tient pas pénard, il est cuit !

— Betty ?

— Pauvre Betty ! Elle était même plus dans les parages ! Elle est allée voir le cadavre de Nancy pour l'identifier et quand elle est sortie de la morgue, elle gueulait, elle se cognait la tête contre les murs ! On lui a passé la camisole de force et elle est à l'hosto depuis !

Un bruit se fit alors entendre, en bas, une sorte de grattement.

— C'est quoi ça, demanda Charley dont le cœur, depuis l'alerte de l'après-midi, battait toujours un peu trop vite.

— Sais pas, dit Toby. Je vais voir.

Il descendit ouvrir puis remonta. Un chien blanc entra avec lui.

— Le clébard est tout seul ! dit Toby en s'épongeant le front. Bill a dû l'abandonner quelque part et le chien l'aura cherché ici.

Charley Bates approuva de la tête. Il était extrêmement pâle.

Un long moment s'écoula sans que personne ne parle. La nuit venait. Ils fermèrent les volets en silence, allumèrent une chandelle.

Ce fut alors qu'on frappa doucement à la porte d'en bas, d'une façon particulière. Le chien se mit à grogner sourdement.

— Je descends voir, dit Toby. Toi, planque-toi, on sait jamais.

Maître Bates disparut lestement dans un réduit attenant à la pièce.

Toby remonta. Entra derrière lui un homme dont la figure était presque entièrement cachée par un foulard sombre. Il le dénoua. Visage blême, yeux caves, joues creuses, barbe hirsute de trois jours, haleine courte : ce n'était plus que le fantôme de Bill Sikes.

Il posa la main sur le dossier d'une chaise qui était au milieu de la pièce, mais au moment de s'y laisser tomber, il regarda par-dessus son épaule et tira la chaise contre le mur, le plus près possible du mur. Là, il s'assit. Aucune parole n'avait été échangée.

Enfin, la voix sourde de Sikes rompit le silence, ce qui fit sursauter Toby, comme s'il ne l'avait jamais entendue auparavant.

— Comment ça se fait que le clebs... Qui l'a amené ?

— Il est venu tout seul, répondit Toby en chuchotant presque.

— C'est vrai que Fagin... ?

— Ouais ! Ils le tiennent !

Suivit un long moment de silence.

— Est-ce qu'elle... on l'a... enterrée ? demanda encore Sikes.

— Je sais pas, répondit Toby, l'air mal à l'aise. Je crois que non. Faudrait lui demander, à lui, il doit savoir. Eh, petit !

Charley Bates sortit de sa cachette. Quand il se vit face à Sikes, il fit plusieurs pas en arrière.

— Qu'est-ce t'as ? dit l'assassin en se levant. Tu me reconnais pas ?

— Bouge pas ! dit Charley avec horreur. J'ai pas peur et si la police vient te chercher, je te dénoncerai ! Tu peux me tuer si tu veux ou si t'oses, mais si je suis ici, je te livrerai ! Au meurtrier ! À l'assassin !

En poussant ces cris, et en gesticulant considérablement, Charley Bates se jeta tout seul sur Sikes et, sous l'effet de surprise, le fit tomber lourdement. Toby ne fit pas un mouvement. Le garçon et l'homme roulèrent sur le sol, le premier, sans se soucier des coups qui lui pleuvaient dessus, continuant à crier de toutes ses forces.

La lutte, cependant, était trop inégale pour durer longtemps. Sikes tenait le gosse sur le dos, son genou sur la gorge, quand Crackit le prit par l'épaule et, l'air épouvanté, lui montra la fenêtre.

Il y avait des lumières en bas. Des bruits de voix, des pas qui résonnaient – le piétinement de toute une foule qui traversait sur les passerelles.

— Au secours ! hurlait Charley d'une voix aiguë. Il est ici !

— Ouvrez ! Au nom du roi ! disaient des voix dans la rue.

Et le tumulte de la foule s'enflait sans cesse.

— Enfoncez la porte, hurlait le garçon. Ils ouvriront jamais !

Des coups violents et répétés ébranlèrent la porte et les volets du rez-de-chaussée, accompagnés d'un énorme « hourra ! » jailli de la foule, ce qui put donner une idée précise de son importance.

Sikes courait çà et là traînant le garçon avec lui aussi aisément qu'il l'eût fait d'un sac de noix. Puis il le poussa dans le placard où Charley s'était déjà caché et l'enferma à double tour.

Dans la rue, on trépignait, on criait qu'il fallait mettre le feu, on demandait aux policiers de tirer dans les fenêtres. Une voix s'éleva, dominant le tumulte : « Vingt guinées à qui apportera une échelle ! »

— La marée est basse ! s'écria l'assassin. Avec une corde, je peux descendre dans le fossé et filer par-là. Donne-moi une corde, Toby.

Dans le réduit que Toby lui désigna du doigt, Sikes prit la plus longue et la plus forte. Puis il grimpa en courant l'escalier qui menait en haut de la maison, poussa le vasistas et sortit sur le toit.

Des cris saluèrent l'apparition de l'assassin. Il rampa jusqu'au bord du toit et regarda en bas. Le fossé n'était qu'un lit de vase. Dès que la foule devina les intentions de l'assassin, elle comprit qu'elles étaient irréalisables et poussa un hurlement de haine et de triomphe.

On entendit la porte d'entrée céder sous les coups de la police.

L'homme était resté immobile, accroupi sur le toit, paralysé par la fureur de la foule et l'impossibilité de fuir. Mais le bruit le remit debout, déterminé à se jeter dans le fossé et à essayer, au risque de s'y noyer dans la vase, de profiter de l'obscurité pour s'échapper.

Il attacha l'un des bouts de la corde au tuyau de la cheminée et fit à l'autre bout un nœud coulant. Ce fut l'affaire d'une seconde. Il se laisserait descendre près du sol grâce à la corde puis la couperait pour se libérer. Il tenait son couteau ouvert à la main.

Au moment précis où il passait sa tête dans le nœud pour fixer la corde autour de ses aisselles, il regarda derrière lui, leva les bras au-dessus de sa tête et poussa un cri de terreur.

— Encore les yeux ! dit-il d'une voix qui n'était pas de ce monde.

Il chancela, perdit l'équilibre, bascula par-dessus le bord du toit. Le nœud coulant était autour de son cou. L'assassin tomba pendant trente-cinq pieds. La corde se tendit comme un arc. Il y eut une brusque secousse, une terrible convulsion de tous ses membres. La vieille cheminée trembla sous le choc mais elle résista bravement. Le corps sans vie de l'assassin vint pendre contre le mur.

Un chien, qu'on n'avait pas vu jusque-là, se mit à courir au bord du toit. Il s'arrêta, émit un hululement avant de prendre son élan et de sauter sur les épaules de l'homme. Il manqua son but et tomba dans le fossé la tête contre une pierre, ce qui fit jaillir sa cervelle.

Deux jours plus tard, vers trois heures de l'après-midi, Oliver arrivait aux abords de sa ville natale. Mme Maylie, Rose, Mme Bedwin et le docteur Losberne étaient avec lui, dans une berline de voyage. M. Brownlow suivait dans une chaise de poste avec un personnage dont il n'avait pas voulu révéler le nom.

— Voyez ! s'exclamait-il, ce sont les haies derrière lesquelles je me suis caché ! Et là, le chemin qui mène à la ferme où j'ai vécu !

Ce fut ensuite la ville. Il y avait la boutique de M. Sowerberry, comme avant sauf qu'elle était plus petite que dans son souvenir ; il y avait la charrette de Gamfield, devant le café, avec l'âne qui l'attendait ; il y avait le dépôt de mendicité, la prison de sa jeunesse, avec toujours le même portier décharné près de la grille et cette allure sinistre qui le fit frissonner de terreur avant qu'il n'éclate de rire ; il y avait des gens devant les portes et des visages aux fenêtres qu'il connaisait. Tout était comme s'il avait quitté la ville seulement la veille, comme si sa nouvelle vie avait été juste un rêve.

C'était pourtant la réalité. On s'arrêta devant l'hôtel principal de la ville qui semblait autrefois un palace aux yeux éblouis d'Oliver et qui, depuis, avait beaucoup perdu de son lustre et de sa majesté.

M. Grimwig, arrivé du matin, les accueillit en souriant. Le dîner était servi. Quand on se fut restauré, tout le monde passa au salon où parurent à leur tour M. Brownlow et un personnage dont la vue arracha un cri à Oliver. Cet homme, dont on lui avait déjà parlé, c'était son frère. Monks lança au garçon un regard chargé de haine.

— Il vous reste à confirmer oralement tout ce que

vous avez écrit chez moi, lui dit M. Brownlow en posant la main sur la tête d'Oliver. Cet enfant est votre demi-frère, le fils illégitime d'Edwin Leeford, mon ami, et d'Agnès Fleming qui est morte en le mettant au monde.

— Oui, c'est leur bâtard !

— Le terme que vous employez déshonore votre bouche. Mais passons. Il est né dans cette ville ?

— Oui, au dépôt de mendicité ! répondit Leeford avec impatience. Mais vous avez tous les détails dans le papier, là, que j'ai signé !

— Je veux aussi que tout le monde l'entende de votre bouche.

— Alors écoutez, dit Monks. Son père est tombé malade à Rome où sa femme, ma mère, dont il était séparé depuis longtemps, l'a rejoint en m'emmenant. C'était sûrement pour s'assurer de sa fortune, car elle n'avait guère d'affection pour lui ni lui pour elle. Parmi les papiers, sur son bureau, il y en avait deux datés du premier soir de sa maladie, une lettre destinée à cette fille, Agnès, et un testament.

— Que disait-il dans la lettre ? demanda M. Brownlow.

— La lettre ? C'était une feuille de papier gribouillée dans tous les sens avec une confession et des prières à Dieu pour qu'il la secoure ! Elle s'était fiée à lui, trop, apparemment, et se trouvait à quelques mois d'accoucher. Il disait ce qu'il avait escompté faire, s'il avait vécu et lui rappelait le jour où il lui avait donné le petit médaillon et l'alliance sur laquelle il avait fait graver son prénom en laissant vide l'espace où il espérait faire inscrire, un jour, son nom comme nom de famille.

— Quant au testament... dit M. Brownlow, tandis qu'Oliver pleurait à chaudes larmes.

Monks ne dit rien.

— Le testament, continua M. Brownlow en parlant à sa place, était conçu dans le même esprit que la lettre. Il parlait des chagrins que lui avait causés son épouse et des mauvais penchants qu'il avait décelés chez vous. Il vous laissait, à vous et à votre mère, une rente annuelle de huit cents livres sterling. Il faisait du reste de sa fortune deux parts égales, l'une pour Agnès Fleming et l'autre pour l'enfant. Si c'était une fille, sa part d'héritage lui revenait sans condition. Si c'était un garçon, il était stipulé qu'à l'époque de sa majorité, il ne devrait pas avoir souillé son nom. Il espérait que le garçon tiendrait d'elle un cœur noble et une nature élevée. S'il s'était trompé, et à cette condition-là seulement, il voulait que cette part vous revienne car, au cas où ses deux fils seraient également mauvais, il vous reconnaissait un droit de priorité sur sa fortune.

— Ma mère, dit Leeford, en prenant soudain la parole, a fait ce que toute femme aurait fait : elle a brûlé le testament. La lettre n'est pas parvenue à sa destinataire : elle l'a conservée avec d'autres documents pour pouvoir prouver la faute de la jeune fille en cas de besoin. Le père d'Agnès a tout appris de sa bouche. Désespéré, il s'est réfugié au fin fond du Pays de Galles en changeant de nom. Peu de temps après, on l'a trouvé mort dans son lit. Sa fille s'était enfuie un peu plus tôt. Il avait battu tout le pays sans la retrouver et était mort de chagrin le soir où il était rentré chez lui persuadé qu'elle avait mis fin à ses jours pour cacher son déshonneur.

Il y eut un moment de silence puis Monks reprit sa narration.

— Sur son lit de mort, ma mère m'a légué tous ses secrets en même temps que la haine qu'elle avait vouée à cette Agnès. Elle ne croyait pas qu'elle était morte mais qu'au contraire elle avait eu un fils et que ce fils était vivant. Je lui jurai solennellement que je m'acharnerais à le perdre, que je ferais tomber cet enfant de l'adultère dans la fange et dans le déshonneur. J'avais bien commencé et, sans les bavardages d'une fille de rien, j'aurais atteint mon but !

— Voilà pourquoi, ajouta M. Brownlow, Edward Leeford a payé Fagin pour faire d'Oliver un voleur, ce qui aurait permis au frère aîné de toucher l'intégralité de la fortune laissée par le père.

— La bague et le médaillon ? demanda le docteur.

— Je les ai achetés à l'homme que je vous ai indiqué, qui les avait volés à une vieille sage-femme qui, elle-même, les avait volés sur le cadavre d'Agnès, dit Leeford. Vous savez où ils sont.

M. Grimwig, qui avait disparu, entra aussitôt avec M. Bumble.

— Je n'en crois pôs mes yeux ! s'écria ce dernier. N'est-ce pas mon petit Oliver ? Ah ! si tu savais combien je me suis fait de la bile pour toi ! Voyez-vous, j'ai toujours aimé cet enfant comme s'il avait été... Au fait, Oliver, tu te souviens du monsieur en gilet blanc ? Il est allé au Ciel la semaine dernière dans un beau cercueil de chêne !

— Assez de blabla ! le coupa M. Brownlow en désignant Leeford. Dites-nous plutôt si vous connaissez cet homme ?

— Jamais vu de ma vie, dit M. Bumble.

— Vous n'avez jamais, non plus, eu en votre possession un médaillon et une alliance avec, gravé dessus, le prénom « Agnès » ?

— Certainement pas, dit le bedeau.

— Comme il vous plaira, dit M. Brownlow. Si vous aviez reconnu vos fautes, nous vous aurions traités avec indulgence. Car la nuit où la vieille garde-malade d'Agnès est morte, il y a eu des témoins. Ils nous ont dit, et ils le confirmeront, qu'elle vous a confié le reçu d'un prêteur sur gages. Pas plus tard que le lendemain, en échange de ce reçu, on vous a remis un médaillon et une bague. Le prêteur sur gages vous connaît et témoignera lui aussi. À présent, vous pouvez disposer !

M. Bumble émit un gémissement et lança d'une voix aigre :

— S'il a parlé, j'ai plus de raison de nier. Mais vous avez fait causer ces pouilleuses pour rien ! Peut-être que j'ai eu et vendu ces objets mais vous les retrouverez pôs ! Qu'avez-vous à redire à ça ?

— Rien, dit M. Brownlow. Sauf que nous ferons en sorte que vous ne puissiez plus jamais exercer une fonction de confiance. Allez !

M. Bumble, qui au fond n'en menait pas large, sortit.

— Mademoiselle, dit M. Brownlow en s'adressant à Rose, les quelques mots qui restent à dire vous concerne. Connaissez-vous cette jeune fille, Edward Leeford ?

— Oui, répondit Leeford.

— Je ne vous ai jamais vue, dit Rose d'une voix faible.

— Le père de la malheureuse Agnès avait deux filles, intervint M. Brownlow. Qu'est devenue l'autre, la petite ?

— Quand son père est mort dans un pays étranger, sous un faux nom, elle s'est retrouvée sans une lettre ni un bout de papier qui aurait pu lui permettre d'identifier sa famille. Elle fut recueillie par des paysans pauvres chez qui elle mena une existence misérable jusqu'à ce qu'une veuve la prenne avec elle. Je l'ai perdue de vue pendant plusieurs années pour la rejoindre seulement récemment.

— Savez-vous où elle se trouve maintenant ?

— Ici, à côté de vous !

— Mais elle n'en est pas moins ma fille bien-aimée, dit Mme Maylie en attirant Rose sur son cœur. Et ta tante, Oliver !

— Je ne la considérerai jamais ainsi, répondit ce dernier en lui passant les bras autour du cou, mais comme une sœur chérie.

Respectons les larmes que versèrent ces deux orphelins ! Ils venaient de retrouver et de perdre un père, une mère, une sœur. Joie et chagrin étaient mêlés mais leurs larmes n'étaient pas amères car la perspective d'un avenir souriant et commun adoucissait leur douleur.

Ils furent tirés de leurs effusions par un grognement de M. Grimwig qui s'éveilla dans le fauteuil où il avait fait un petit somme.

— N'est-il pas temps de dîner ? J'ai tellement faim que je pourrais...

Un éclat de rire général fit qu'on n'entendit pas la fin de sa phrase.

13

Et dernier

Le sort de ceux qui ont figuré dans ce récit est désormais réglé. Le peu qui reste à raconter de leur histoire tient en quelques mots.

Un peu plus tard, Rose épousa le fils unique de Mme Maylie qui venait de terminer ses études dans une université éloignée. Les noces eurent lieu dans la petite église dont le marié, Henry, était devenu le pasteur. Les jeunes époux prirent possession le jour même du presbytère, leur nouvelle résidence.

Mme Maylie s'installa à proximité pour profiter jusqu'à la fin de sa vie de la plus grande félicité que l'âge peut apporter : celle de voir ceux qu'on aime être heureux.

Les restes de la fortune de leur père, qui n'avait pas prospérée entre les mains d'Edward, furent également partagés entre ce dernier et Oliver ; chacun hérita environ de trois mille livres sterling. Selon les dispositions du testament paternel, Oliver aurait eu le droit de conserver tout, mais M. Brownlow proposa ce partage pour laisser à l'aîné une dernière chance de s'arracher à sa vie de désordre et de mener une existence honnête, ce qu'Oliver accepta volontiers.

Monks, qui décida de conserver ce nom d'emprunt, partit pour le Nouveau Monde où, après avoir fini de dissiper tout son bien, il retomba dans ses anciens travers, se rendit coupable de diverses escroqueries et mourut en prison.

Un sort que Jack Dawkins, alias Le Filou, n'a aucune raison de lui envier car il a pris le chemin le plus direct pour l'imiter. À la suite de son arrestation pour le vol d'une tabatière, il s'est joliment fait remarquer à son procès par ses réparties et son absence de tout ce qui pourrait s'apparenter à un remord. Vu qu'il n'en restera pas là, il promet de devenir un grand homme, ce que lui a promis Fagin.

Le joyeux vieillard ne sera pas là pour voir ses prédictions se réaliser. Quelques jours après son arrestation, il a été traduit devant la cour d'assises et condamné à la pendaison pour ses innombrables crimes.

La veille de son exécution, il a reçu la visite d'Oliver et de M. Brownlow dans sa cellule.

— Vous avez des papiers... a commencé M. Brownlow, des documents que vous avait confiés Monks. Dites-nous où vous les avez cachés.

Fagin a d'abord protesté qu'il n'en savait rien. Puis :

— Oliver, viens ! a-t-il dit en lui faisant signe d'approcher.

Oliver s'est assis à côté de lui, sur le bas-flanc.

— Les papiers, hein ! a chuchoté Fagin, ils sont dans un sac qui est caché dans un trou du mur, près de la cheminée de la pièce de devant. Et maintenant, je veux te parler, mon cher enfant !

Oui ! a répondu Oliver. Laissez-moi dire une prière ! Dites-en une vous aussi, à genoux, et nous parlerons ensuite jusqu'au matin !

— Aide-moi à sortir, a crié Fagin en poussant Oliver vers la porte.

Les gardiens ont aussitôt saisi le vieil homme par les bras. Il s'est débattu et s'est mis à crier de toutes ses forces.

Oliver est sorti de la prison en pleurant à chaudes larmes. Dans la rue, on entendait encore les hurlements d'épouvante de Fagin.

M. Brownlow adopta Oliver. En venant s'établir avec Mme Bedwin à moins d'un kilomètre du presbytère où résidaient ses nouvelles amies, il accomplit le vœu le plus cher d'Oliver et vint former avec elles une petite société dont la situation est aussi proche que possible de l'image idéale du bonheur.

Après le mariage de Rose, le bon docteur a vendu sa clientèle à un jeune confrère pour s'établir dans un petit cottage voisin du presbytère. Là, il cultive son jardin, fait de la menuiserie, va à la pêche, toutes activités qu'il pratique avec son impétuosité habituelle.

Il s'est lié d'amitié réciproque avec M. Grimwig qui lui rend très souvent visite et le rejoint dans ses activités et jardine, menuise et pêche mais à sa façon, c'est-à-dire de façon parfaitement excentrique mais en soutenant mordicus, et en offrant de manger sa tête s'il n'a pas raison, que sa manière de procéder est la seule qui soit bonne. M. Brownlow s'amuse souvent à se moquer des pronostics qu'il avait faits sur l'avenir d'Oliver et à lui rappeler cette soirée où ils demeurèrent assis près d'une montre à attendre en vain le retour de l'enfant. Mais M. Grimwig rétorque qu'il ne s'était pas trompé puisque Oliver n'est pas rentré ce soir-là et conclut superbement :

— J'aurais mangé ma tête s'il était revenu !

Quelques années après la fuite d'Oliver, Noé Claypole a filé à son tour de chez M. Sowerberry. Mais il a eu la délicatesse d'emmener Charlotte et d'emporter aussi la cagnotte de Mme Sowerberry, ce qui a constitué une juste récompense pour son attitude lors de certain épisode qui avait opposé cet intéressant jeune homme à Oliver. S'étant rendu à Londres, il a tenté de gagner sa vie en se faisant voleur à la tire, mais il a vite compris que le métier, s'il n'était pas dépourvu d'intérêt, connaissait aussi ses mauvais côtés. Il a donc radicalement changé de cap pour se faire indicateur de police et s'y fait une gentille petite existence sans trop se donner de peine. Son plan consiste à opérer tous les dimanches, à l'heure de l'office, avec le concours de Charlotte décemment vêtue. Celle-ci tombe évanouie devant la porte d'un pub et l'élégant jeune homme, recevant pour trois pence d'eau-de-vie de la part du tenancier afin de la ramener à elle, fait un rapport dès le lendemain et empoche la moitié de l'amende[1]. Quelquefois, c'est monsieur Claypole lui-même qui perd connaissance, mais le résultat est identique.

Destitués de leurs fonctions pôroissiales, M. Bumble est tombé dans la dernière misère et a fini par retrouver

---

1. Afin de combattre l'alcoolisme, les horaires d'ouverture des pubs étaient très sévèrement réglementés. Un tenancier qui vendait de l'alcool en dehors de ces horaires était puni d'une grosse amende.

le dépôt où il avait jadis régné en maître, mais comme pensionnaire cette fois.

Maître Charle Bates, horrifié par le crime abominable de Sikes, a tourné le dos à son passé pour se lancer dans une nouvelle existence. Il a pas mal souffert au début mais, comme il était doté d'un bon naturel, il a fini par y réussir. D'abord garçon de ferme, il est devenu le plus joyeux jeune éleveur du Northamptonshire.

Et maintenant, la main qui trace ces mots faiblit car elle touche à la fin de son entreprise, même si elle tisse encore un peu les fils de cette aventure. Mais à quoi bon vouloir raconter plus avant, puisqu'il suffit de dire que ses protagonistes furent heureux ?

M. Brownlow s'attacha de plus en plus à son fils adoptif en voyant tout ce que promettait sa nature bonne et généreuse. Il retrouvait en lui les traits des chers amis de sa jeunesse avec tout ce que cela ramenait de doux et de triste à la fois. Les deux orphelins que les hasards de la vie avaient finalement réunis restèrent attachés l'un à l'autre et, pour avoir connu l'adversité, ils conservèrent un sentiment profond de compassion pour le malheur des autres.

Près de l'autel, dans la vieille église du village, se trouve une petite plaque de marbre blanc qui porte seulement ce prénom : « AGNÈS ». Il n'y a pas de cercueil dans cette tombe et fasse le Ciel que des années et des années passent avant qu'un autre nom ne soit écrit au-dessous de celui-là. Mais si l'esprit des morts revient sur terre pour visiter les lieux consacrés par l'affection de ce qu'ils ont aimés durant leur vie, je veux croire que l'ombre d'Agnès plane parfois au-dessus de ce coin solennel. Je le crois d'autant plus qu'il se trouve dans une église et qu'elle fut faible et vécut dans l'erreur.

TABLE

PAPIER À BASE DE FIBRES CERTIFIÉES
Le Livre de Poche s'engage pour l'environnement en réduisant l'empreinte carbone de ses livres. Celle de cet exemplaire est de :
110 g éq. CO_2
Rendez-vous sur www.livredepoche-durable.fr

« Pour l'éditeur, le principe est d'utiliser des papiers composés de fibres naturelles, renouvelables, recyclables et fabriquées à partir de bois issus de forêts qui adoptent un système d'aménagement durable. En outre, l'éditeur attend de ses fournisseurs de papier qu'ils s'inscrivent dans une démarche de certification environnementale reconnue. »

Édité par la Librairie Générale Française - LPJ
(43 quai de Grenelle, 75905 Paris Cedex 15)

Composition Jouve
Achevé d'imprimer en Espagne par BLACK PRINT CPI IBERICA
Dépôt légal 1re publication août 2014
63.1113.1/02 - ISBN : 978-2-01-000915-0
Loi n° 49-956 du 16 juillet 1949 sur les publications destinées à la jeunesse
Dépôt légal : mai 2015